Littérature d'Amérique

Collection dirigée par
Isabelle Longpré

Du même auteur

SÉRIE JEUNAUTEUR

Jeunauteur, Tome 2 – Gloire et crachats, Éditions Québec Amérique, coll. Code Bar, 2010.

Jeunauteur, Tome 1 – Souffrir pour écrire, Éditions Québec Amérique, coll. Code Bar, 2008.

Morlante, Éditions Coups de tête, 2009.

Mal élevé, Éditions Québec Amérique, coll. Littérature d'Amérique, 2007.

Un petit pas pour l'homme, Éditions Québec Amérique, coll. Littérature d'Amérique, édition originale 2003, coll. QA Compact, 2004.

- **Grand prix de la relève littéraire Archambault 2004**

Stigmates et BBQ

Catalogage avant publication de Bibliothèque et Archives nationales du Québec et Bibliothèque et Archives Canada

Dompierre, Stéphane
Stigmates et BBQ
(Littérature d'Amérique)
ISBN 978-2-7644-1296-1
I. Titre. II. Collection : Collection Littérature d'Amérique.

PS8557.O495S74 2011 C843'.6 C2011-941105-9
PS9557.O495S74 2011

Conseil des Arts du Canada Canada Council for the Arts

SODEC Québec

Nous reconnaissons l'aide financière du gouvernement du Canada par l'entremise du Fonds du livre du Canada pour nos activités d'édition.

Gouvernement du Québec – Programme de crédit d'impôt pour l'édition de livres – Gestion SODEC.

Les Éditions Québec Amérique bénéficient du programme de subvention globale du Conseil des Arts du Canada. Elles tiennent également à remercier la SODEC pour son appui financier.

Québec Amérique
329, rue de la Commune Ouest, 3e étage
Montréal (Québec) Canada H2Y 2E1
Téléphone : 514 499-3000, télécopieur : 514 499-3010

Dépôt légal : 4e trimestre 2011
Bibliothèque nationale du Québec
Bibliothèque nationale du Canada

Projet dirigé par Isabelle Longpré
en collaboration avec Anne-Marie Fortin
Mise en pages : Andréa Joseph [pagexpress@videotron.ca]
Révision linguistique : Annie Pronovost et Chantale Landry
Conception graphique originale : Isabelle Lépine
Adaptation de la grille graphique : Nathalie Caron
Photographie en couverture : © Marianne LoMonaco

www.quebec-amerique.com

Imprimé au Canada

Stéphane Dompierre

Stigmates et BBQ

roman

Québec Amérique

Dieu est amour.

(1 Jean 4,8)

[Dieu dit:] Voici, je détruirai vos semences,
et je vous jetterai des excréments au visage.

(Malachie 2,3)

VENDREDI

Ça y est, pense-t-elle, *je vais crever.*

Un instant, on croirait qu'elle est déjà prête à accueillir la mort. Elle pose sa revue de mode sur ses genoux et lui jette un dernier regard. *De toute façon, il n'y a rien pour moi dans cette vie. Je suis trop grosse, j'ai les genoux mous et des poches sous les yeux, des plis, des poils et regarde-moi ces guidounes avec trois mètres de jambes et aucun maudit défaut et puis je vais mourir alors qu'est-ce que ça donne de.*

Elle interrompt ses pensées pour détacher sa ceinture et courir dans l'allée en hurlant, les bras en l'air. Malgré sa faible estime d'elle-même, elle s'accroche à la vie. Elle hurle. Elle court. Elle se jette sur une porte et en manipule tous les leviers. Elle n'aura même pas attendu que le pilote allume les moteurs avant de flipper.

C'est la première fois que Nathalie prend l'avion.

+++

Le personnel a vite réagi, surtout pour éviter que le chaos se propage dans la cabine. On lui a parlé à voix basse, on l'a rassurée, on lui a caressé les cheveux, tout cela sans douceur, en cherchant un contact visuel pour juger si elle allait se tenir tranquille ou refaire une crise de panique.

L'aéroport est déjà loin en dessous quand elle recommence à respirer normalement. Elle regarde par le hublot et constate que, contrairement à ce qu'elle avait prévu, l'avion n'a pas explosé au décollage. Elle profite de son souffle retrouvé pour s'excuser, à gauche, à droite, à n'importe qui, pour informer son entourage immédiat que son moment de folie est terminé, qu'on peut cesser de s'intéresser à elle.

Les agents de bord ne l'aiment déjà pas beaucoup. Depuis le petit dégueulis qu'elle leur a remis, dans le sac prévu à cet effet, avant même que les passagers aient eu fini de trouver leurs places, ils la surveillent du coin de l'œil. Elle ignore où elle a bien pu mettre sa revue. Elle regrette de ne pas avoir sa brosse à dents.

+++

Le générique du film de Ben Stiller défile à l'écran et Nathalie aimerait se rincer la bouche. Le poulet en sauce grise n'a fait qu'amplifier son haleine de vomi. Robert, l'hôtesse de l'air, bloque l'allée pour offrir ses rafraîchissements : eau, jus, boissons gazeuses, zozote-t-il. Vers l'arrière, une vieille dame maquillée comme un *cupcake* revient des toilettes. *Avec tout le temps qu'elle a mis, c'est à se demander si elle a pris un bain, là-dedans*, pense Nathalie. Puisqu'il y a toute cette action trépidante qui se déroule juste là, dans son allée, elle décide d'attendre encore un peu avant de se lever.

Elle observe son environnement, à demi cachée derrière une revue qui détaille les montres et les parfums qu'il est possible d'acheter à dix mille mètres au-dessus de l'océan Atlantique. Nathalie n'aime ni les montres, ni les parfums, mais elle adore regarder sans être vue. Coquine. La vieille dame s'excuse gentiment et s'accroupit au-dessus d'elle pour que puissent passer Robert, eau, jus, boissons gazeuses. Avec tout ce frotti-frotta qu'elle subit chaque fois qu'un voisin se rend aux toilettes ou en revient, Nathalie n'est pas certaine qu'elle prendra goût aux voyages.

SAMEDI

Aux douanes, on l'observe à peine. Elle attend qu'on lui pose quelques questions, elle est prête, son livre d'*Italien utile en voyage* à la main, *uno, due, tre, quattro, buongiorno, ciao,* mais non. Nathalie Duguay, nationalité canadienne, sexe féminin. On appose un tampon sur son beau passeport tout neuf et hop, au suivant ; elle a un visage trop quelconque pour qu'on la suspecte de quoi que ce soit. *Avanti, avanti.*

+ + +

Elle attend, avec les autres voyageurs, des Italiens pour la plupart, que sa valise apparaisse sur le tapis roulant. Chacun prend ce qui lui appartient, ou ce qu'il croit lui appartenir ; ça se mélange, ça s'excuse, ça papillonne autour du tapis dans un chaos organisé. Il n'y a plus que Nathalie quand sa valise arrive enfin, aplatie en son centre, une roulette en moins.

+ + +

Et le voyage n'est pas terminé. De l'aéroport de Rome, elle doit encore trouver la gare. Une fois rendue à la gare, il lui faut trouver la billetterie. Et réussir à faire comprendre à l'employée peu réceptive qu'elle souhaite se rendre à Sienne.

— *Il treno*?

— Euh. En train… C'est le *treno*, ça?

— *Il treno.*

— Alors oui, OK. *Treno.*

La dame imprime tout un tas de billets, les lui met entre les mains et lui explique dans un anglais rudimentaire qu'il y a une correspondance à Grosseto. Nathalie aurait encore une bonne dizaine de questions, mais la file derrière elle s'allonge et s'impatiente et respire fort dans son cou. Elle cherche donc le bon quai d'embarquement sans rien demander à personne. Une fois l'endroit trouvé, il lui faut prendre le bon train, mais d'abord sortir juste à temps de celui qui est arrivé en gare, qui pourtant est au bon quai, mais qui part dans une direction qui n'a rien à voir.

Elle attend le prochain, le voit arriver et, puisqu'il a du retard, se demande si c'est le bon. Son inexpérience excuse facilement qu'elle s'imagine possible qu'un train puisse être à l'heure quelque part en Europe. Elle ne comprend rien des directives qu'un aimable voyageur lui donne, mais elle monte dans le même wagon que lui, en cherchant son regard, et son guide improvisé hoche la tête en signe d'approbation. Elle écoute le nom des villes qu'on annonce à l'interphone et constate que bon, oui, on semble parti pour Grosseto, elle croit bien avoir entendu ce nom ou, à tout le moins, quelque chose qui lui ressemblait. Allons voir où ce train nous mène.

La correspondance entre Grosseto et Sienne se passe plutôt bien, le retard du premier train s'harmonisant avec celui du deuxième. Nathalie n'a que quelques minutes pour observer les environs avant le départ, étonnée de voir des palmiers dans un stationnement d'hôtel. Elle a plutôt l'habitude d'en voir sur les cartes postales monotones que sa sœur lui envoie lors de ses voyages dans le Sud, une fois par année. Météo et culpabilité : « Bonjour ! Ici il fait beau et chaud, la nourriture laisse à désirer mais la mer est tellement belle ! Tu devrais voyager au moins une fois dans ta vie, ça te ferait du bien. Ciao ! Élise. »

Des palmiers en Italie, pourquoi pas. Nathalie n'écarte pas l'idée folle d'envoyer une carte postale à sa sœur.

Elle retient depuis de longues minutes une envie d'uriner, mais arrive le moment où la pression sur sa vessie est plus forte que le désir d'éviter l'hygiène douteuse des toilettes de train. C'est un fond de cuvette brisé qui lui fait découvrir un grand secret ferroviaire : les petits besoins tombent directement sur les rails. Elle comprend alors qu'on suggère aux passagers de ne pas utiliser les toilettes lorsque le train est à l'arrêt pour éviter d'empester les gares. Pour Nathalie, la divine campagne italienne qu'elle parcourt perd ainsi un peu de sa magie. La Toscane, contrée féerique traversée par une voie ferrée couverte de déjections humaines et de papier cul souillé.

+ + +

Et puis, oui, tout cela avait donc une fin. Après taxi, autocar, autobus, avion, train et encore train : Sienne. Y a-t-il vraiment des gens qui se reposent en vacances ? En participant au concours proposé sur l'emballage de sa marque favorite de pain blanc[1], Nathalie souhaitait gagner le troisième prix, un magnifique barbecue à gaz de marque Major Flam™ en acier inoxydable avec grilloir en fonte émaillée, thermomètre intégré, bouton-poussoir d'allumage électronique, deux tablettes latérales en bois et housse de protection[2]. Mais, non. Avec sa malchance habituelle, il avait fallu qu'elle gagne l'Italie.

+++

Il n'y a pas de *vaporetti* à Sienne. Pas d'eau non plus. Pas qu'elle aime l'eau, non, mais *vaporetti* est un si joli mot, si agréable à prononcer. *Venezia, Venezia*, rien qu'à *Venezia*, qu'on lui explique avec de grands gestes, au kiosque d'information touristique de la gare, en lui mettant des dépliants sous le nez. Déception. Elle hoche la tête, *oui, bon, ça va, ça va, j'ai compris,* pense-t-elle, *arrêtez de me regarder comme si j'étais mongole, je demandais, c'est tout. Je me fais des idées ou c'est tout le personnel qui travaille dans le tourisme en Italie qui aurait besoin de vacances ?*

Elle prendra le taxi, donc, dès qu'elle aura casé dans sa valise déformée toute cette paperasse concernant des visites de vignobles.

+++

1. Pannolino, le pain qui colle au palais des Italiens depuis 1878.
2. La couleur peut différer de l'illustration.

Après divers signes de la main, les yeux sortis de la tête, à prononcer *villa Cornuto* sur tous les tons, plaçant l'accent tonique sur une syllabe ou sur l'autre, au hasard – *il va bien finir par me comprendre* –, Nathalie agite une poignée d'euros sous le nez du chauffeur qui se gratte une vieille gale sur l'avant-bras, les fesses appuyées sur son taxi, la tête tournée vers le soleil comme une tortue amorphe sous l'éclairage d'un aquarium. Il hausse les épaules, agite la tête et se décide enfin à ouvrir le coffre pour y jeter la valise en bougonnant. Nathalie s'installe sur la banquette arrière. Elle cherche la ceinture de sécurité pendant qu'un chapelet accroché en haut de la portière lui cogne sur le front, mais elle ne trouve rien, même en fouillant entre le siège et le dossier, sinon des miettes grasses de croissants, de la mousse de nombril et un drôle de machin qui, au toucher, ressemble fort à un écureuil desséché. À genoux sur la banquette, elle s'efforce de ne pas céder à la panique en prenant de longues et profondes respirations, alors que le vieux bouc démarre.

— Un instant, s'il vous plaît ! Je suis pas prête !

Elle repère une ceinture à l'autre bout de la banquette et elle change de côté. Elle se jette dessus, pour tout dire, et se la passe autour de la taille dans de grands gestes vigoureux. Le petit *clic* qui confirme qu'elle est bouclée lui procure un immense soulagement. *La vie peut reprendre, je suis attachée.*

Le chauffeur, déjà, se range sur le côté. Ils ont à peine roulé quelques mètres, le temps de grimper une courbe, et le voilà qui sort de la voiture. Elle regarde tout autour. Pas d'arrêt, pas de feu rouge… *Mais quel est donc le problème ?*

— Villa Cornuto, s'il vous plaît, *signore*, je voudrais me rendre à la villa Cornuto. Pourquoi on arrête ici ?

Pliant les genoux pour qu'elle puisse le voir de l'intérieur du taxi, il tend ses deux mains ouvertes vers le bâtiment devant lequel il s'est arrêté en répétant *villa Cornetto* d'une voix tremblotante. *Ah, ben oui, tiens. On est arrivés. Il aurait pu le dire avant, non mais.*

+++

Sous le porche, un vieil épagneul français se dore au soleil. Elle l'enjambe en tenant sa valise raplapla d'une main et sonne avec le coude, empêtrée dans ses sacs et ses machins. Le chien ne lui accorde qu'un regard dédaigneux, surtout pour s'assurer qu'elle ne lui écrasera pas une patte par inadvertance. Puis il se rendort en poussant un long soupir, ravi de n'avoir pas à mordre un mollet. Il fait trop chaud pour s'exciter.

Un carillon, en sourdine, joue sa petite mélodie.

+++

La dame qui l'accueille d'un large sourire et de quelques phrases toutes en points d'exclamation porte sa soixantaine avec grâce et assurance. Étourdie, Nathalie y va d'un *buongiorno* et de quelques *grazie* en sortant de sa poche son formulaire de réservation. La dame le regarde à peine et lui confirme que tout est parfait.

— Gratis ?

— *Si, si*, gratis.

— Gratis les dix jours ?

— *Si !*

Soulagée, Nathalie s'empêtre dans sa présentation, qu'elle avait pourtant pris soin de répéter avant le départ, et prononce une phrase maladroite qui signifie à peu près « mon chien est Nathalie ». La dame lui rend donc la pareille.

— *Mio cagna è Zerbino.*

Nathalie serre la main de celle qu'elle croit s'appeler Zerbino, tandis qu'un vieillard arthritique, plié en deux et venu d'on ne sait où, s'empare de sa valise et l'emporte dans l'escalier en la cognant partout. Les deux femmes observent le tricentenaire gravir chaque marche en toussotant. Nathalie hume soudain une odeur qu'elle connaît, quelque chose d'agréable, sans doute le parfum de *signora Zerbino.* Elle aimerait la complimenter, mais ne saurait dire pour l'instant que *buono* en pointant son nez et en hochant la tête. Elle préfère donc s'abstenir et se promet d'ouvrir son *Italien utile en voyage* un peu plus souvent.

+++

La chambre numéro sept est accueillante et confortable, un peu exiguë peut-être mais bon, au prix que ça coûte. Et puis ce n'est pas comme si elle comptait y inviter toute la ville à y danser la tarentelle. Décor *style italien,* dirait-elle, sans pouvoir développer, plutôt ignare côté design et aménagement d'intérieur. Un crucifix est posé sur le mur en face du lit et une petite gravure dans un cadre doré est accrochée derrière la porte. Elle croit d'abord que c'est l'illustration d'un vagin vu de près mais, non, elle est vite rassurée alors qu'elle s'en approche : il s'agit de la Vierge de Guadeloupe, dans des teintes de rouges et de bruns décolorés. N'empêche, avec sa position et les plis de ses vêtements, la ressemblance reste troublante. Elle grimace ; tous ces symboles religieux sont plutôt morbides.

Elle remarque un grand panier-cadeau sur la commode. *Wow. C'est pour moi, tout ça ? C'est quoi ?* Elle retire l'emballage. Des pains. Toutes sortes de pains de marque Pannolino. Un pain blanc. Un pain brun. Un pain de ménage. Un pain multigrains. Six croissants nature et six fourrés aux abricots, ses préférés. Elle en grignote un en lisant le mot qui accompagne le cadeau.

Bienvenue en Italie !

Nous espérons que vous apprécierez votre séjour. Encore bravo ! Nous vous offrons également un assortiment varié de nos produits. N'hésitez pas à parler en bien des pains Pannolino à tous vos amis !

Signature illisible. Nathalie glisse le mot entre deux pains, verrouille la porte, se débarrasse de ses chaussures et s'étend sur le lit pour faire un somme avant le souper. Un peu de repos au début des vacances, pourquoi pas.

Juste avant de s'endormir, ça lui revient : le parfum, qu'elle a encore aux narines, c'est celui qu'elle portait il y a quelques années, avant que la bouteille ne se vide accidentellement dans un tiroir et qu'elle cesse d'en acheter. *Pour séduire qui de toute façon ?*

Dans la chambre, ça sent surtout la fleur séchée poussiéreuse.

+++

Femme d'habitude, Nathalie s'éveille en fin de journée avec, comme tous les samedis, envie de manger chinois, sa petite gâterie de fin de semaine. Depuis des années, toujours le samedi, elle compose de mémoire le numéro du seul restaurant chinois de Saint-Charles-Borromée. Riz frit, egg rolls, poulet du général Tao, soupe wonton et biscuits aux amandes. Elle ne cesse d'y penser, sous la douche, en se séchant les cheveux, en s'habillant. Comme elle n'est pas du genre à se bercer d'illusions - *ils ont l'air de manger surtout italien, ces Italiens* -, elle tente de se laisser aller à des envies de pâtes ou de pizza. Mais pour elle, les mets italiens, c'est surtout le jeudi.

+++

Très peu excitante, jusqu'à maintenant, la vie d'adulte de Nathalie. De petits gestes banals, dans le respect des lois et des pressions sociales, rien qui ne la distingue des autres, mais il ne faudrait tout de même pas minimiser ce qui au fond constitue l'essence de sa personne. Elle rince ses boîtes de conserve avant de les mettre dans son bac à recyclage, traverse les intersections au feu vert, lave ses vêtements à l'eau froide, tâte et hume les cantaloups pour mieux les choisir, époussette son dieffenbachia, cuit ses pâtes *al dente*, utilise régulièrement la soie dentaire, achète des soutiens-gorge de la bonne taille, laisse sécher sa vaisselle dans l'égouttoir, écoute parfois la radio, à faible volume, pour meubler, retire le germe des gousses d'ail avant de s'en servir, remplace les piles des détecteurs d'incendie chaque fois qu'on avance ou qu'on recule l'heure, plie les genoux pour soulever des objets lourds, baisse le chauffage avant d'aller dormir, congèle ses restes de sauce à spaghetti, glisse des semelles coussinées anti-odeur dans ses chaussures, s'épile le pubis en n'y laissant qu'une mince ligne de poils, retourne son matelas une fois par année, achète des œufs de poules en liberté, ne va pas nager après les repas, n'urine pas dans les piscines, ne sait pas nager et pour tout dire ne fréquente pas les piscines, ne laisse pas couler l'eau du robinet pendant qu'elle se brosse les dents, fait attention à vos enfants, tient la main courante, réduit ses dépenses énergétiques, garde les sorties de secours bien dégagées, mâche lentement et plusieurs fois chaque bouchée, oublie quelquefois d'apporter ses sacs réutilisables à l'épicerie, mange plus de légumes qu'avant, ne grignote pas entre les repas, ou si peu, aimerait faire plus d'exercice, a hâte de perdre son iPod pour acheter le plus récent modèle, écoute la bande sonore de *Grease* sans honte, boit du café équitable, prend du soleil, évite le soleil, selon ce qu'on raconte dans les journaux cet été-là, mange des fibres, tente de réduire sa consommation de sel, de sucre, de gras et de roues de tracteur de chez Dunkin Donuts, contribue à un REER, préfère les chats aux chiens, n'a ni l'un ni l'autre, s'assoupit devant la télé, lit pour lutter contre l'insomnie, donne chaque année quelques dollars au téléthon de la dystrophie musculaire, rince abondamment ses fruits et ses légumes, ne trouble pas l'ordre établi, jette des sous noirs dans les fontaines sans même faire de vœux, ne fourre pas l'impôt, ne porte pas à sa bouche ce qu'elle trouve par terre, met des tomates en conserve dans son pâté chinois – plus besoin de ketchup –, ne court pas avec des ciseaux à la main, coupe suivant les lignes pointillées, n'insère pas de coton-tige trop loin dans ses oreilles, s'inquiète du temps qu'il fera demain, se fouille parfois dans le nez (quand il lui semble que personne ne regarde), remplace régulièrement sa brosse à dents, ne remet pas à plus tard ce qu'elle peut faire aujourd'hui, vote quand elle ne se rend pas par erreur dans le mauvais bureau de scrutin, a lu le dernier Marie

Laberge, préfère encore sa trilogie, termine rarement les mots croisés, ne veut pas entendre parler des sudokus, ne se souvient jamais du nom du facteur, ne lui parle pas de toute façon, digère mal les concombres, a encore perdu sa pince à épiler, ne sait toujours pas si le thé, le vin rouge, le café et le chocolat sont bénéfiques ou non pour la santé, considère l'achat d'un nouveau divan, donne ses vieux vêtements à des organismes de charité, n'est pas plus cochonne les nuits de pleine lune, possède une trousse de premiers soins, préfère son steak bien cuit, ses draps en coton indien, sa crème pour les mains inodore, se méfie du four à micro-ondes, de la glucosamine et des témoins de Jéhovah, met parfois un « si » avec un « rais », préfère Van Gogh à Dali et Matisse à Picasso, ignore qui est Mark Ryden, n'a découvert que tout récemment ce que MILF et NSFW signifient, ne croit pas à l'homéopathie, se lave les mains souvent, éteint toutes les lumières le soir de l'Halloween et tant d'autres choses encore.

Les biographes de Nathalie, et Dieu sait qu'il y en aura, s'attarderont très peu sur cette vie d'avant son arrivée en Italie. Avec raison. Les gens n'aiment pas qu'on leur raconte des vies ordinaires. Se rendre compte que c'est dans la banalité qu'on se ressemble le plus, ça crée un malaise. On préfère s'identifier aux gens d'exception. Avec Nathalie, on sera bientôt servi.

+++

Propre, changée, reposée, beaux souliers, Nathalie sort de la villa sans croiser personne, pas même le chien. Elle déplie sa carte et, après quelques instants à la virer de tous bords tous côtés, à tenter de savoir d'où elle vient, où elle est et où elle va, elle se dirige vers les fortifications du quartier historique. Elle s'étonne de ne pas être partie dans une mauvaise direction lorsqu'elle voit s'ouvrir une arche dans un grand mur, droit devant. Cacherait-elle une fibre d'exploratrice, elle qui sort si rarement de son petit appartement? Deviendrait-elle une voyageuse impétueuse qui, en quelques années, remplira son passeport de tampons apposés par des douaniers tout autour du monde, polyglotte pleine d'assurance toujours prête à découvrir de nouveaux territoires, des régions arides et réfractaires aux touristes trop douillets, vêtue de bottes d'exploration et de vêtements techniques qui sèchent en un rien de temps, vaccinée contre la polio, la malaria, l'hépatite et le choléra?

Non.

Elle s'arrête avant de traverser le portail qui mène vers la vieille ville, ébahie, les yeux posés sur l'affiche discrète en jaune et noir: *Ristorante Cinese Hong Kong*. Doux miracle. Le quartier historique peut bien attendre à demain. *Addio rigatoni, benvenuta wontons.*

+++

Nathalie replace la salière, la poivrière, le contenant de sauce soja, elle organise le tout selon un agencement qui lui convient mieux, hop, elle pose une main sur le napperon, l'aligne précisément avec la table, nul autre qu'elle n'y verrait une différence mais elle est comme ça: quand elle arrive, c'est le désordre, puis elle déplace. Elle organise son petit chaos personnel. La fourchette, plus près, les baguettes, plus loin, très peu pour elle, les baguettes, échapper une bouchée de poulet du Général Tao sur son chandail, plouc, une grosse tache orange sur un sein, la honte, ou l'échapper dans sa soupe wonton et s'ébouillanter, tant de risques qu'elle préfère ne pas courir. Prudence, prudence. Il y a ceux qui roulent à cent quarante à l'heure sur la voie rapide et il y a elle, dans la voie de droite, avec les lumières d'urgence qui clignotent.

DIMANCHE

Une carte de Sienne, un dictionnaire, trois guides de voyage, dix heures de sommeil, Nathalie est prête pour sa première vraie journée d'exploration. Elle descend l'escalier et rapporte le plateau de son petit-déjeuner. *Grazie, grazie, signora Zerbino, buono miam miam !* Sa maîtrise de la langue italienne fait des bonds de géant. Laissez-lui encore une semaine et elle pourra réciter de mémoire toute *La Divina Commedia* de Dante sans se tromper.

Elle sort de la villa et enjambe le chien, déjà hébété par le soleil, c'est à peine s'il la suit des yeux. Un instant, elle pense le flatter pour lui démontrer un peu d'affection, mais elle n'a pas envie de devoir rentrer pour se laver les mains. Elle se contente donc d'un *oh ch'est un beau toutou, cha, madame* dit d'une voix infantile en agitant quelques doigts près de son museau. *Elle s'arrange pour que je lui morde une main, celle-là,* pense-t-il, avant de refermer les yeux et de rêver à des formes et des couleurs en gémissant.

+++

Elle le franchit donc, ce portail, et se dirige vers l'attraction principale de la ville, la *Piazza del Campo*, qui, sur papier, semble n'être qu'une grande place en forme de coquillage, dominée par le campanile du *Palazzo Pubblico*. Elle s'y rend sans trop de mal et la reconnaît tout de suite, oui, c'est bien ici, telle que décrite dans le guide : une grande place. En forme de coquillage. La foule qui y traînasse est constituée en majeure partie de couples ou d'étudiants criards en petits groupes. Tous prennent un plaisir évident à attendre l'insolation, assis par terre en plein soleil.

Elle s'installe à la terrasse ombragée du *Caffè Fonte Gaia* et commande un *cappuccino, per favore* sans l'aide de son guide. Elle observe son environnement, ravie de voir qu'elle n'est qu'une touriste anonyme parmi d'autres, une quadragénaire vêtue de beige et de bleu marine entourée d'autres quadragénaires vêtues de beige et de bleu marine. S'il y a une chose qu'elle déteste par-dessus tout, c'est d'attirer l'attention.

Ses voisins des tables alentour écrivent des cartes postales, se prennent en photo en tenant leur appareil à bout de bras ou admirent les babioles achetées dans les boutiques de la place. Sous-verre, crayons, napperons, elle n'a jamais compris cette obsession qu'ont les gens à vouloir rapporter un petit bout de leur voyage à la maison. *Aussi bien arracher les affiches des devantures des commerces et les cacher dans vos sacs, tant qu'à y être.*

Plus elle observe les gens autour d'elle, plus Nathalie se sent étrangère à tout. Détaillant chaque femme qui passe près de sa table, même celles qui sont vêtues de beige et de bleu marine, elle ne se trouve pas plus d'affinités avec ces touristes louchant sur leur *gelato* qu'avec les élégantes Italiennes qui placotent en replaçant leur coiffure avec des gestes pleins d'assurance. La solitude, voilà ce qui la distingue des autres. Elle ne s'en rend compte que maintenant, en buvant son cappuccino : il n'y a qu'elle ici qui semble véritablement seule. Et avec la barrière linguistique et l'air impénétrable des gens qu'elle rencontre, il semble peu probable qu'elle se fasse des amis.

Au restaurant, la veille, cette solitude n'avait rien d'embarrassant ; Nathalie était à l'écart de la grande salle, dans un coin, près des toilettes, dans l'odeur de camphre des petites boules dans l'urinoir, tranquille, protégée de tout. Et puis il était tôt, la salle était quasi déserte. Ici, sur la *Piazza del Campo*, elle croit maintenant attirer l'attention aussi sûrement que si elle s'était déguisée en ours et qu'elle soufflait dans un tuba. Femme seule devant sa tasse vide. Une mélancolie qu'elle ne se connaissait pas s'empare d'elle, et cette impression de sortir du lot la rend mal à l'aise. *En plus, je suis la seule touriste à ne pas avoir d'appareil photo. J'ai l'air bizarre, non ? Il faudrait que je m'en procure un.*

L'angoisse, un petit chat au sommeil léger qui ronronne sur ses cuisses.

Elle secoue la tête pour chasser ses pensées, puis ouvre son dictionnaire et tente de trouver des expressions qui pourraient lui servir. *Mi sono completamente perso*, je suis complètement perdue. *C'è troppa gente*, il y a trop de monde. *Ballo come une scarpa,* je danse comme un pied. Comment est-ce possible de retenir tout ça ? Elle l'ignore. Elle commande un autre café, encore craintive à l'idée de se lever et d'explorer le monde.

+++

L'après-midi s'achève quand elle se décide enfin à ranger ses livres et à visiter un premier bâtiment. Petit arrêt devant la *Fonte Gaia*, la fontaine de la joie, inaugurée en 1348 ou en 1414 ou en 1419, ses guides se contredisent. *Plus on cherche à savoir et moins on sait*, pense-t-elle, avant de s'engouffrer dans la fraîcheur de la *Torre del mangia*, le campanile attenant au *Palazzo Pubblico*, une « tour de cent deux mètres d'où la vue est magnifique ». Cinq cent trois marches, dit un guide. Cinq cent trois marches, confirment les deux autres. Et pas d'ascenseur.

Pressée par trois touristes allemands impatients de photographier le panorama, elle achète son billet à la préposée, une jeune fille dans la vingtaine, souriante et décontractée, avec un look vaguement punk, yeux charbonneux et coupe de cheveux asymétrique, en contraste avec sa robe d'été légère et colorée. *En voilà une qui est sympathique, enfin.* Elle la remercie et passe sans trop regarder devant les gravures illustrant l'érection de la tour. Les érections, ça ne l'intéresse plus beaucoup.

503, 502, 501, 500, 499, 498, 497, 496, 495, 494, 493, 492, 491, 490, 489, 487, euh… elle s'embrouille dans le décompte. Elle entend des escarpins qui claquent au-dessus de sa tête, deux jeunes Italiennes descendent l'étroit escalier. *Sûrement qu'à cause de mes hanches on va rester coincées.* Heureusement anorexiques et peu vêtues, elles passent sans encombre près de Nathalie, en rasant le mur, sans la regarder. Elle leur envoie tout de même un sourire de politesse, qui ressemble à s'y méprendre au rictus d'une personne légèrement claustrophobe qui aimerait éviter une crise de panique. Elle se penche et, les mains appuyées sur les genoux, respire à grandes bouffées. *Mais à quoi est-ce que j'ai pensé en venant ici?*

Elle reprend l'ascension alors que les Allemands se poussent derrière elle pour voir qui bloque le chemin. Les yeux mi-clos, elle se change les idées en imaginant la vue grandiose qui l'attend en haut du campanile, si jamais elle finit par s'y rendre. L'espace, le vent, le soleil, l'oxygène, elle accélère le pas sans savoir si c'est l'effort physique ou la panique qui lui donne des sueurs. Elle arrive au sommet après avoir bousculé un groupe d'Asiatiques coiffés de grands chapeaux ridicules, aux visages barbouillés de crème solaire leur donnant l'allure d'une famille de vampires à la plage.

De l'air, de l'air, enfin, et puis la campagne toscane. Elle tourne autour de l'imposante cloche pour admirer le paysage, surprise d'avoir réussi à combattre ses peurs et de n'avoir pas fait demi-tour, hurlant, toutes dents et griffes sorties pour se frayer un chemin dans le tas d'Allemands.

Ils la rejoignent et lui font des sourires niais et des bouches en rond, sourcils en l'air, pour signifier leur enchantement dans le langage universellement reconnu des grimaces. Ils prennent leurs photos et repartent en gloussant de joie.

Elle est seule. Au nord, au sud, à l'est, à l'ouest, de petites maisons faites de briques rouges et de tuiles en terre cuite, des arbres, des champs, que dire, des collines. Jolie, tout de même, la campagne toscane. Dommage que Venise, ses *vaporetti* et ses gondoles soient si loin. Ça a l'air pittoresque, Venise. *Je crois bien que j'aime l'eau*, se dit Nathalie. *Surtout quand je n'ai pas à me mouiller.* Les voyages, rien de mieux pour plonger au fond de son âme et découvrir des aspects de soi qu'on ne connaissait pas.

Elle respire un grand coup, surprise de trouver dans l'air des arômes de pesto frais. Avec ce qu'elle sait maintenant du réseau ferroviaire, elle s'attendait à pire. Les piaillements des oiseaux ont remplacé l'agitation de la *Piazza del Campo*, réduite à une simple rumeur à ses pieds. Elle sourirait, en ce moment, si seulement elle était capable d'oublier que, pour redescendre, il faut emprunter le dangereux escalier trop étroit, trop sombre, trop escarpé. *Non non non non non.* Pour elle, pas question de retourner dans ce trou.

+++

Il est dix-neuf heures quatre minutes. Laura a compté la caisse, déposé les recettes de la journée dans le coffre-fort, elle a même mis de l'ordre dans les cartes postales que les touristes se font un devoir de remettre n'importe où, n'importe comment. Clés à la main, elle regarde descendre les Allemands. Il n'y a plus qu'eux et hop, finie, cette journée. Ils sortent en parlant fort, en rigolant, sans remarquer Laura qui lève un doigt en l'air, la bouche en cœur, pour leur poser une question. Elle leur lance un *Scuzi* puis un *Ho!* plus explicite, mais ils ne l'entendent pas, pressés de voir tout Sienne en quelques heures. *N'y avait-il pas une femme avec eux?* Elle verrouille en soupirant, contrainte, comme presque chaque soir, de monter et descendre les cinq cent trois marches rien que pour s'assurer qu'aucun touriste n'est resté là, en haut, à rêvasser dans le coin où la caméra de surveillance ne se rend pas, à bourrer d'images son appareil photo sans se préoccuper de l'heure de fermeture. *Cartolini! À quoi bon prendre des photos puisqu'on vend des cartolini?* Elle lance les clés sur le comptoir et se dirige vers l'escalier en faisant la moue, irritée plus que fâchée. *Après tout, c'est pas en restant assise toute la journée que j'ai sculpté mes cuisses fermes et mon petit cul rebondi.*

+++

Elle ne s'était pas trompée, non. Il y a cette dame, appuyée sur le muret, l'œil vitreux et la main tremblante. *Elle n'est pas montée ici pour se suicider j'espère, hein?* Les désespérés préfèrent d'habitude s'élancer du haut de la tour du *Duomo*; peut-être que de s'exploser le crâne sur le parvis de la cathédrale plutôt que sur une place publique leur donnent l'impression de se rapprocher de Dieu. Laura fait un signe de la main pour lui signifier que c'est fini, fermé, allez, pas de suicide s'il vous plaît, il faut s'en aller, maintenant. Elle fait mine de descendre pour lui montrer le chemin, mais l'autre reste là, appuyée sur son muret. Soupir. Elle hésite entre aller chercher un agent de sécurité ou s'en occuper elle-même. Les agents du *Palazzo Pubblico* étant généralement introuvables au moment où elle en a besoin, elle s'approche donc de la dame, lentement, et tente de communiquer. Elle essaie l'italien, l'allemand, puis l'anglais.

— J'ai le vertige! Je suis claustrophobe! Je peux pas redescendre!

En français, donc. Ce serait plus rapide de l'assommer et de la faire glisser jusqu'en bas mais bon, le dialogue donne parfois des résultats surprenants. Dans un français impeccable, elle lui dit que tout va bien aller. Surprise qu'on parle sa langue, Nathalie respire un bon coup et tente de se calmer. Laura lui sourit et s'approche. *Si elle fait un geste brusque, je la mords*, pensent-elles en même temps.

+++

C'est une chance que Laura parle français, parce qu'il n'y a ni *claustrophobie* ni *crise de panique* dans son *Italien utile en voyage*, ni même *rassurez-vous, j'ai peut-être l'air d'une cinglée mais je ne suis pas venue ici pour me suicider.*

— Descendre. Je veux pas mourir, je veux juste descendre.

— C'est ce qu'on va faire, madame. On va descendre. La sortie est par ici.

— Vous parlez bien le français.

— Merci. Mais c'est rien d'exceptionnel, mon père vient de Lyon.

— Ah bon.

Laura en profite pour se présenter et lui serrer la main. Nathalie est déjà plus calme, mais son problème n'est pas réglé pour autant.

— Y'a pas d'autre chemin que par les escaliers?

Laura se gratte la joue et regarde autour d'elle.

— Vous voyez un autre moyen? Si vous étiez un pigeon, vous auriez pu partir en volant.

— Ou un papillon.

— Pardon?

— Si j'avais été un papillon, j'aurais aussi pu partir en volant.

— Oui, oui. Bien sûr.

— Ou une colombe.

— Euh. Oui.

— Un geai bleu. C'est beau, les geais bleus.

— …

Nathalie respire profondément et se tait, enfin disposée à écouter Laura proposer une solution.

+++

Après une dizaine de minutes à élaborer puis répéter le plan d'évacuation, elles s'approchent de la cage d'escalier. Laura passe la première puis tend les mains à Nathalie, qui la suit après quelques hésitations, en clignant des yeux pour s'habituer à la pénombre. Déjà, d'être retournée dans le campanile est une victoire pour elle, mais Laura ne lui laisse pas le temps de célébrer. Elle s'installe devant, lève les bras en l'air, attend que Nathalie s'y accroche et, dès qu'elle sent des mains froides et moites dans les siennes, elle les saisit fermement et entame la descente de l'escalier abrupt en entonnant la chanson qu'elles ont choisie d'un commun accord.

— Un kilomètre à pied, ça use, ça use, un kilomètre à pied, ça use les souliers. La peinture à l'huile c'est bien difficile, mais c'est bien plus beau que la peinture à l'eau. Deux kilomètres à pied, ça use, ça use…

Nathalie l'accompagne à l'unisson, elles chantent à pleins poumons en claquant des pieds pour marquer le rythme. Et ça fonctionne. Nathalie ne pense à rien d'autre qu'aux paroles répétitives, aux couplets répétés en boucle, et les volées de marches défilent sans interruption. Si la *Piazza del Campo* était aussi tranquille qu'au lever du jour, on entendrait chanter ces improbables scouts jusqu'à la *Fonte Gaia*.

+++

N'eût été de son caractère introverti, Nathalie se serait couchée par terre pour embrasser les pavés en retrouvant la *Piazza del Campo*, tant elle était soulagée. Malgré son athéisme inébranlable, elle y serait même allée d'un alléluia libérateur, les bras en croix. Mais bon. Elle se contente d'une surenchère de merci, de *grazie* et de *scuzi* adressés à Laura, qui lui serre la main, lui tapote le dos et l'assure que ce n'est pas la première fois que ça arrive. Nathalie admire l'aisance avec laquelle cette fille réussit à dédramatiser la situation, à faire en sorte qu'elle ne se sente ni ridicule, ni honteuse, ni tout simplement conne.

Laura la salue et file sans se retourner, en ondulant des fesses, se dandinant presque, avec tout ce que sa jeunesse a de candeur et de beauté et d'avenir grand ouvert. Le contraste entre sa robe moulante et ses bottes d'armée est plutôt frappant, et la fille attire les regards. Avoir su quoi en faire, Nathalie aurait été jalouse de tant de grâce.

Milo, le plus jeune des agents de sécurité du *Palazzo Pubblico*, s'approche pour s'assurer que tout se passe bien du côté de Laura. Il tire sur les portes du campanile et constate que c'est déjà verrouillé. Il met ses mains de chaque côté de sa tête et se colle tant qu'il peut sur la porte pour mieux voir à l'intérieur. *Eh bien. Elle est déjà partie. Dommage, dommage.* Il caresse sa moustache, ajout récent à son look qui lui donne des airs de star du porno des années soixante-dix, regarde l'heure et s'en va chez lui d'une démarche chaloupée en sifflotant.

+++

Nathalie est fatiguée et n'a pas envie d'aller au restaurant pour le souper. Elle rêve de tranquillité. Après avoir acheté un carré de pizza froide, elle retourne à la villa, monte l'escalier et traverse le salon qui mène à sa chambre en prenant soin de faire craquer le plancher le moins possible, discrète comme une souris. Elle mange, assise à une petite table près de la fenêtre, en observant les plantes et les fleurs de la cour intérieure, les petits arbres, le chien qui grignote un gros os. Elle se recule un peu sans arrêter de mastiquer quand passe la propriétaire avec un arrosoir. Elle jette son papier gras à la poubelle puis ferme les volets. Assez d'émotions pour aujourd'hui.

+++

Le rai de lumière qui passe par la porte de la salle de bain laissée entrouverte fait briller le crucifix posé sur le mur en face du lit. Comment peut-elle espérer dormir quand il y a ce bonhomme qui la nargue, vêtu d'une couche en tissu lui couvrant à peine les couilles? L'estomac ballonné, Nathalie tourne et tourne dans son lit pendant que le Nazaréen sur sa croix semble roupiller. Elle regrette de n'avoir pas apporté de lecture, son seul remède infaillible contre l'insomnie. Elle se lève, empoigne la croix et tire. Rien ne se passe.

— T'as l'habitude d'être solidement cloué, toi, hein?

Elle change de position et tire un bon coup avec ses deux mains. Cette fois la croix s'arrache du mur, emportant avec elle un bout de peinture. Elle la jette avec le clou tordu dans un tiroir de la commode et se dit qu'elle devait être bien fatiguée, hier, pour s'être couchée en laissant cette horreur dans son champ de vision. Elle boit un grand verre d'eau et se recouche.

Minuit. Elle bâille, pousse un long soupir et s'endort enfin.

+++

Laura corne la page 132 de *Senza veli*, après avoir lu le même paragraphe deux fois, en se rendant compte qu'elle n'avait rien retenu. Elle pose le livre au pied de son lit en se disant que, décidément, Chuck Palahniuk n'est plus ce qu'il était; il a ramolli de la couille et se caricature lui-même. Elle s'étire pour s'emparer du dernier numéro de *Glamour* qui traîne par terre et le feuillette en grimaçant devant chaque mannequin trop maigre et trop photoshoppé. Elle parcourt son horoscope et l'oublie aussitôt, inutile d'essayer, elle n'arrive à se concentrer sur rien. Elle termine sa tisane tiédasse et se décide enfin à utiliser son seul remède vraiment efficace contre l'insomnie. Nue dans ses draps blancs, elle place son oreiller entre ses jambes. Couchée sur le ventre, les bras en croix, rien qu'en agitant son bassin, en un petit mouvement de haut en bas, les cuisses bien serrées, elle parvient vite à s'exciter. Elle gémit, les yeux fermés, le souffle court, la chaleur au ventre, les fesses en l'air. Elle imagine une de ces vedettes du foot aux cheveux courts et au visage carré qui, la tête entre ses cuisses, lui écarterait les fesses d'une main, glisserait la langue sur son sexe et se branlerait en l'admirant. Elle jouit très vite, en se mordillant les lèvres pour éviter qu'on l'entende.

Gianluca cligne des yeux, agenouillé devant la porte, et se relève sans faire de bruit. Il retourne dans sa chambre, s'agenouille à nouveau mais, cette fois, joint les mains et ferme les yeux. *Oh, mon Dieu, pardonnez à ma sœur, cette pécheresse, car elle ne sait pas ce qu'elle fait.*

Laura renifle ses doigts et les essuie dans un mouchoir de papier. La suite est planifiée d'avance : si sa mère remarque la tache sur son oreiller en prenant ses draps pour les laver, elle lui fera croire que c'est de la salive. À la confesse, elle avouera avoir menti, sans donner trop de détails sur la nature du mensonge ni mentionner ce supposé péché de la chair. Voilà le problème avec les péchés, pense-t-elle : une fois qu'on commence, il y a cet effet de dominos, on s'embourbe facilement. Et puis, tout de même, elle ne comprend pas très bien en quoi se donner du plaisir pourrait déplaire à *Dio* ou à *Bambino Gesù*, à supposer qu'ils existent. Elle présume que le prêtre exigera qu'elle récite dix ou douze fois le Notre Père et qu'elle aide sa mère dans les travaux ménagers. L'absolution, c'est simple et pratique.

Minuit. Elle bâille, pousse un long soupir et s'endort enfin.

LUNDI

Soleil, chaleur et petits oiseaux. Nathalie se réveille au son de quelques coups discrets frappés à sa porte. Elle laisse le temps à la personne de s'éloigner – par le bruit des pas qui glissent sur le plancher qui craque, elle devine qu'il s'agit du tricentenaire plié en deux –, puis ramasse son petit-déjeuner et retourne au lit. Elle qui d'ordinaire, chaque matin, y va de ses éternelles rôties à la confiture de framboises se réjouit, non sans une certaine culpabilité, de ce repas copieux dégusté dans le confort de son lit. La force de l'habitude lui avait presque fait oublier l'existence des croissants, de la marmelade et du jus fraîchement pressé.

Pour se remettre de son éprouvante journée d'hier, elle aimerait bien passer la matinée à lire dans le jardin. Mais, voilà, il n'y a rien d'autre à lire ici qu'une grosse Bible et tout un tas de revues de mode en italien. Il lui faudra sortir, donc. Elle est cependant catégorique : aujourd'hui, elle ne visite rien qui compte plus de dix marches à grimper.

+++

Elle s'est trouvé un coin à la terrasse du *Caffè Fonte Gaia* où elle se sent protégée de tout. Elle y a une vue d'ensemble sur la *Piazza del Campo*, entre deux bacs en bois contenant des fleurs, et sa table est à l'écart des autres, la seule à gauche de la porte d'entrée. Elle s'y sent à l'aise et pourrait y passer des heures sans bouger, le nez dans un livre, si seulement elle en avait un. La librairie trouvée en chemin n'offrait que des romans en italien ou en anglais et des guides touristiques de la Toscane dans toutes les langues. Elle consulte ceux qu'elle a déjà. Aujourd'hui ce sera la visite du *Duomo*: «*l'une des plus spectaculaires cathédrales d'Italie, dont le gracieux campanile de quatre cent quatorze marches domine la face orientale du dôme*». Elle grimace rien qu'à lire le mot *campanile.* En apprenant le nombre de marches, elle a même un petit étourdissement. Si sa curiosité l'emporte et qu'elle veut à tout prix connaître la vue qu'on a d'en haut, elle achètera une carte postale.

+++

Elle tourne autour de la cathédrale, dans les rues étroites et sinueuses, sans savoir si elle s'en approche ou s'en éloigne, et sans comprendre comment ça peut lui prendre autant de temps pour s'y rendre alors qu'elle en voyait le sommet il y a quelques minutes. Elle se décide à demander son chemin mais ne voit que des Italiens pressés ou des touristes égarés, le nez dans leurs guides de voyage ou affairés à déplier des cartes grandes comme des serviettes de plage.

Elle erre encore un peu et s'approche de trois jeunes garçons entassés sous un porche, penchés sur quelque chose qu'elle ne voit pas. Ils sursautent quand elle les interpelle d'un *scuzi* et cachent ce qu'ils avaient dans les mains. *Duomo?* Deux pointent dans une direction, le troisième pointe dans une autre, sans la regarder. Elle les remercie et se dirige vers la rue ayant récolté le plus de votes. Ils se décident à l'accompagner en lui parlant sans relâche, tous en même temps, de longues phrases dont elle ne saisit pas le moindre mot. Avant même qu'elle réussisse à leur dire une phrase complète tirée de son *Italien utile en voyage*, *È la prima volta che vengo*, *C'est la première fois que je viens*, ils se désintéressent d'elle et retournent sous un porche, collés un sur l'autre, l'air très excité. Elle remarque alors Laura qui marchait à quelques mètres derrière elle. Elle lui envoie la main mais Laura ne la salue pas, elle s'élance plutôt vers les jeunes et arrache un objet des mains du plus grand.

Les trois s'en vont en criant des obscénités, destinés à Laura et au jeune homme au crâne rasé qui l'accompagne. Celui-ci semble en avoir vu d'autres et les regarde s'éloigner sans ciller. Ils se mettent à courir et continuent à crier et à rire en tournant le coin. Ce n'est qu'à ce moment que Nathalie aperçoit le gros portefeuille beige que tient Laura. Elle s'affole et jette un œil à son sac, ouvert, portefeuille manquant. Avec un grand sourire, Laura le lui tend.

— Je te sauve la vie encore une fois !

Elle se tourne vers le jeune homme et discute avec lui. Nathalie devine qu'ils parlent d'elle, sans doute quelque chose comme « Tu sais, la folle dont je t'ai raconté l'histoire, hier ? C'est elle ! ».

Laura fait les présentations, *Gianluca, mi fratello*. Étant donné la ressemblance physique, surtout la forme du visage, les lèvres pulpeuses et les grands yeux verts, Nathalie présume que c'est son frère. Il met sous son bras la grosse Bible qu'il transporte pour lui serrer la main en ne disant rien d'autre que *bonjour*, en français, d'un ton monocorde. Nathalie le détaille : autant la sœur est extravertie et joyeuse, autant lui semble sérieux, pieux, voire légèrement autiste. La vie ne semble pas l'amuser beaucoup.

Nathalie aimerait bien bavarder un peu avec Laura mais Gianluca, qui attend sans mot dire, la met mal à l'aise et lui coupe l'inspiration. La façon qu'il a de la regarder des pieds à la tête et d'ensuite plonger ses yeux froids dans les siens, comme s'il tentait de lui fouiller l'âme, l'intimide.

Dans le silence qui s'installe, Nathalie lève son portefeuille à hauteur des yeux et remercie Laura, *grazie*, *grazie*, encore *grazie*, elle prend conscience qu'elle n'a que ce mot à la bouche depuis trois jours. Laura tapote sa montre et parle à son frère, en italien. Ça pourrait aussi bien être *Il faut que j'aille travailler* que *J'aimerais suivre des cours de planche à voile*, Nathalie n'en sait rien. Elle présume qu'ils ont autre chose à faire que de rester plantés là et les salue en y allant d'un autre *grazie*. Ils lui rendent son salut et s'en vont en discutant.

Avec tout ça, elle a oublié de leur demander comment se rendre à la cathédrale.

+++

Le *Duomo*, avec ses gigantesques colonnes de marbre noir et blanc, sa coupole d'une hauteur étourdissante, ses statues, ses cent soixante et onze bustes de papes, ses splendeurs étalées partout où les yeux se posent, a de quoi plonger le croyant dans la plus parfaite et anesthésiante béatitude dont il puisse rêver. Plus il est pauvre et plus il sera fasciné par l'or et le marbre et le bronze et les vitraux et l'immensité des lieux. Ce n'est pas Dieu qui l'étourdit, mais la richesse. La foule à l'intérieur se compose de résidants venus se recueillir et de touristes déçus de ne pas pouvoir utiliser de flash pour les photos. Les uns cherchent le réconfort dans la prière, les autres cherchent le meilleur angle pour photographier la coupole, ou encore un coin tranquille d'où ils pourraient arracher un bout de mosaïque sans être vus.

Nathalie fait un petit tour rapide puis retourne s'asseoir au soleil sur les marches du parvis de l'église. Les *shows* de boucane à la gloire du petit Jésus l'indiffèrent. Elle fait l'inventaire de son sac pour une dixième fois. Tout y est.

+++

En après-midi, après avoir mangé un sandwich à sa table préférée du café de la *Piazza del Campo*, elle visite le musée civique du *Palazzo Pubblico*, le bâtiment attenant au campanile où travaille Laura. Beaucoup de Vierge Marie et de petit Jésus. Naissance de Jésus, vie de Jésus, mort de Jésus, résurrection de Jésus, sur bois, sur toile, sculpté dans la pierre ou le marbre, Jésus partout. Encore sept jours à passer dans cette ville et, déjà, plus grand-chose à visiter. Elle se désole que *Pannolino*, le pain blanc qui l'a fait gagner, soit originaire de Sienne plutôt que de Venise. Ça a l'air excitant, Venise. Les ponts, les gondoles, la place Saint-Marc sans cesse inondée. Elle soupire et, se sentant coupable de ne pas apprécier ce voyage comme il se doit, décide d'y aller pour une immersion totale dans la culture italienne en s'offrant un *gelato*. Deux boules, *limone è vaniglia*.

+++

Elle s'assoit sur un banc près de la statue d'une louve à gros pis qui allaite ses petits. Ce n'est pas pour rien que tous les touristes en ont à la main et autour de la bouche : le *gelato*, doit-elle avouer, c'est plutôt fameux.

À la terrasse d'un restaurant, un couple termine son repas. Des Québécois ; elle reconnaît l'accent alors qu'ils argumentent sur le montant du pourboire. La femme, plutôt jeune, jolie, cheveux châtains, yeux pétillants, est enceinte de quelques mois.

— Arrête de tout le temps laisser du pourboire, Daniel ! Je te le dis que c'est inclus !

Ils entrent dans le restaurant pour régler l'addition. Sur la table, ils ont laissé un livre. Sans réfléchir, Nathalie s'approche pour voir le titre. *Kafka sur le rivage*, de Haruki Murakami. Elle observe la terrasse vide, le couple qui lui fait dos, les quelques personnes qui passent sans se soucier d'elle. Un frisson lui glisse sur la nuque. Elle s'empare du livre et file en trottinant, sans trop savoir ce qui lui a pris. Une fois certaine qu'ils ne l'ont pas poursuivie, elle glisse son butin dans son sac et, inquiète et excitée à la fois, mange son *gelato* en regardant partout.

— Ève, c'est toi qui as ramassé mon livre ?

— Non. Il est pas sur la table ? En tout cas, c'est là qu'il était il y a une minute.

Ils l'observent, cette table, d'un air perplexe. Elle n'est pas grande, et il n'y a pas beaucoup d'endroits où le roman aurait pu se cacher. Après avoir regardé sous les assiettes et la corbeille de pain, ils en arrivent à la même conclusion : on ne peut faire confiance à personne.

+++

Très vite, la honte. *Mais qu'est-ce que j'ai pensé? Pourquoi j'ai fait ça? Je deviens folle ou quoi?* Nathalie pense retrouver le couple, remettre le livre et s'excuser, mais aucune explication qu'elle pourrait fournir ne lui semble crédible. Incapable de mentir, elle abandonne vite l'idée d'accuser les trois jeunes voleurs à la tire et de raconter une héroïque intervention de sa part pour récupérer l'objet. Impossible de revenir en arrière. C'est donc un livre volé qui l'aidera à trouver le sommeil. Nathalie, criminelle insomniaque errant dans les rues de Sienne.

+++

Jeune, elle volait. Que de petites choses. La première fois, c'était à douze ans, au dépanneur de la famille Salois. Elle y était pour acheter les billets de loterie de sa marraine, tante Ginette. Deux 6/36 et un gratteux. Elle avait empoché une tablette de chocolat Caramilk pendant que le commis était penché sous le comptoir à la recherche d'un rouleau de papier pour la caisse enregistreuse. Une impulsion plus qu'un désir; avoir vraiment voulu cette friandise, elle aurait pu se l'offrir avec la monnaie restante. Mais les risques de l'interdit étaient beaucoup plus excitants.

Elle avait continué comme ça, de petits vols anodins quand l'occasion s'y prêtait, quand le danger semblait minime, jusqu'à ce qu'un pharmacien moustachu la surprenne, accroupie au milieu d'une allée, occupée à bourrer la poche de son *k-way* de pinces à cheveux colorées. Il était arrivé derrière elle, par surprise, l'avait empoignée par le bras et emmenée dans un bureau pour téléphoner à ses parents. *Ils sont morts, monsieur*, avait-elle réussi à dire, entre deux sanglots. Elle pleurait encore quand sa tante était venue la chercher, mettant un terme à sa courte et peu spectaculaire carrière criminelle. Elle avait alors treize ans. C'est à peu près à ce moment qu'elle a cessé de vivre dangereusement. Depuis, elle n'aime ni les pharmaciens, ni les moustaches, ni les pinces à cheveux colorées.

+++

Fatiguée de sa journée, Nathalie empile un petit tas de coussins et d'oreillers pour soutenir son dos et se glisse sous les couvertures avec son nouveau livre. Chanceuse, tout de même, de n'être pas tombée sur un recueil de poésie bulgare ou un truc moralisateur du genre *Happiness for dummies.* Plus de six cents pages, de quoi combattre l'insomnie jusqu'à son retour au Québec. Elle l'inspecte avant d'en commencer la lecture et, sur une des premières pages, y découvre une dédicace.

Bonne fête, Daniel, mon tibébéchou d'amour!
Je t'aime je t'aime je t'aiiiiiime!
(pour toujours)

xxx Ta Ève

Apprendre qu'elle a dérobé un cadeau d'anniversaire ne l'aide en rien à déculpabiliser, mais elle fait un effort. *Allez, c'est rien qu'un livre, ça vaut pas plus qu'une quinzaine de dollars, j'ai pas volé leurs passeports, j'ai égorgé personne, il faut que j'arrête de m'en faire. Cette Ève va pas faire une fausse couche pour si peu.*

« C'est cruel, beau, cru », lit-elle sur la quatrième de couverture. Cru? Elle grimace et espère qu'il n'y aura pas trop d'érotisme ; la sexualité, comme bien d'autres choses, moins on en entend parler, mieux on s'accoutume à son absence. D'après le résumé, ça semble plutôt dramatique. Ça lui va. Le malheur, tant qu'elle ne s'y reconnaît pas, est une agréable distraction qui aide son sommeil.

De fait, après une demi-heure vite passée, elle éteint la lampe sur la table de chevet et replace ses oreillers pour dormir.

Elle relève la tête pour voir si elle a bien fermé les volets et sursaute en poussant un cri de surprise : le rai de la lumière de la salle de bain, qu'elle laisse en veilleuse, éclaire le crucifix accroché au mur. Ce même crucifix qu'elle se rappelle très bien avoir balancé dans un tiroir. Agenouillée dans son lit, une main sur le cœur, elle rallume la lampe et scrute la chambre. Rien d'autre n'a bougé. La frayeur passée, elle recouvre vite son esprit rationnel. Elle comprend ses hôtes de vouloir que chaque chose soit à sa place, mais, tout de même, ne les trouve pas très accommodants. Elle se lève, prend le crucifix à deux mains et tire un bon coup. Cette fois, plutôt que de le remettre dans la commode, elle le cache sous son matelas et jette le clou à la poubelle. Nathalie considère que, même si on l'héberge sans frais, elle a le droit de dormir dans un environnement sans Jésus.

MARDI

Au réveil, comme si elle en avait rêvé toute la nuit, son regard se pose d'instinct sur le mur en face du lit. Le crucifix n'y est pas. Elle s'en veut d'être soulagée, ce n'est pas dans son habitude de se laisser apeurer par des histoires d'objets qui se déplacent tout seuls. Elle ouvre grand les volets. Dans la chaude lumière du matin, l'aspect surnaturel de la situation se dissipe, comme si la peur avait besoin de la noirceur pour survivre. Tout ça lui semble déjà ridicule.

Elle se permet un petit éclat de rire, pour chasser d'un bon coup ses frayeurs nocturnes. Déjeuner, douche, choix des vêtements pour la journée; même en voyage, Nathalie réussit à s'établir une routine qui lui donne l'illusion de contrôler sa vie, alors que tout est sur le point de changer.

+++

Gianluca, sous la douche, laisse le jet d'eau chaude masser le bas de son dos tandis qu'il penche la tête d'un côté et de l'autre pour étirer les muscles de ses épaules. Il lave ses mains une fois encore, pour bien enlever toute la terre qu'il a sous les ongles, les bras tremblants d'avoir creusé pendant une bonne partie de la nuit. Il ne lui restera plus qu'à bien nettoyer la voiture de ses parents avant qu'ils aient à s'en servir, et plus aucune trace de ce qu'il a fait ne devrait subsister. Ce sera un autre petit secret entre Dieu et lui. Puisqu'il compte entrer au séminaire afin de devenir prêtre, il se dit que ces petits travaux pratiques de fin de soirée ne peuvent qu'enrichir sa formation spirituelle. Il sourit brièvement mais reprend vite ses esprits. *Mon Dieu, je ne suis que cendre et poussière. Réprimez les mouvements d'orgueil qui s'élèvent dans mon âme, et apprenez-moi à me mépriser moi-même, vous qui résistez aux superbes et qui donnez votre grâce aux humbles.*

+++

C'est une autre journée splendide à Sienne et Nathalie a réservé sa place pour la visite d'un vignoble, activité incluse dans son forfait-cadeau des pains *Pannolino.* Elle parcourt les rues autour du point de rendez-vous en attendant l'heure du départ, à la recherche d'un présent pour remercier Laura de lui être venue en aide à deux reprises. *Panforte?* Chianti ? Ourson en peluche habillé d'un chandail rouge aux couleurs de Sienne? Nathalie doute que Laura puisse s'extasier sur les spécialités locales dont les boutiques sont remplies. Et qu'est-ce qu'on aime quand on a vingt ans ? À quarante ans, Nathalie ne sait plus trop ce qu'être jeune signifie. Elle a même l'impression de ne jamais l'avoir su. Et elle se doute que la description qu'on fait des jeunes d'aujourd'hui est exagérée; ils doivent bien aimer autre chose que les drogues dures, le sexe anal et le iPhone. Un agenda? Un parapluie? Un jeu de pétanque? Elle tripote les babioles une à une, la plupart fabriquées par des enfants malmenés dans des contrées trop lointaines pour qu'on s'en soucie vraiment. Taiwan, Chine, Pakistan, elle repose tout ça sur les tablettes et sort de la boutique.

+++

Les gens qui grimpent dans l'autocar ont déjà commencé à prendre des photos. L'autocar, le chauffeur de l'autocar, le guide qui les accompagne, leur siège, leurs pieds, Nathalie a tout juste le temps d'acheter un petit appareil jetable dans une boutique de souvenirs avant d'aller s'asseoir à la dernière place libre, près de la toilette. Elle laisse l'objet en évidence sur ses genoux afin qu'il envoie un message clair: *je suis normale, je suis comme vous, j'aime prendre des photos de tout.* Un petit objet qui l'intègre à la foule de touristes ordinaires, qui lui évite de se faire remarquer. Nathalie l'a compris depuis longtemps: il suffit de se fondre aux gens pour en vivre à l'écart. Allez hop, une photo de la campagne floue à travers la fenêtre.

+++

C'est que Nathalie n'aime pas la photographie. On dira que le destin est ironique de lui avoir fait hériter de la boutique de photo de ses parents, mais elle ne croit pas au destin, encore moins qu'il puisse avoir un quelconque sens de l'humour. Sa sœur lui ayant laissé cette part de l'héritage, pas conne, elle dirige donc seule depuis ses dix-huit ans un commerce qui décline inexorablement. Les clients potentiels achètent maintenant leurs appareils dans les magasins à grande surface et vont plutôt dans les pharmacies, les fois où ils se décident à faire imprimer des photos. Les rares visiteurs de la boutique du boulevard L'Assomption n'y entrent plus que pour les photos officielles de passeport et, plus rarement, pour immortaliser leurs bambins édentés devant une toile représentant Paris, New York ou une Italie imprécise combinant la tour de Pise, les gondoles de Venise et le Colisée de Rome. Un tour du monde sur toile jaunie sans avoir à sortir de Saint-Charles-Borromée.

Nathalie possède dix photos d'elle prises devant la tour Eiffel, une à chacun de ses anniversaires, une tradition instaurée par son père et qui a pris fin brutalement. L'adolescence, de sa première poussée de boutons jusqu'à ses broches qui lui repoussaient les canines jusqu'aux yeux n'a donc jamais été immortalisée devant un Paris en deux dimensions. Et c'est tant mieux, si on lui demande son avis. C'est à cette époque qu'elle a commencé à se cacher quand surgissaient les appareils photo et elle n'a jamais cessé depuis. Il y a bien assez de tous ces miroirs qui apportent les mauvaises nouvelles, nul besoin de photographier tout ça.

+++

Les touristes poussent des *ah!* et des *oh!* à chacune des informations lancées par Francesco, leur guide pour la journée. En italien pour le pittoresque, en anglais pour la compréhension. Il se permet aussi quelques blagues à double sens, dans leur langue, aux deux Allemandes enfiévrées avec qui il tentera de coucher au retour. Elles l'auront déjà oublié à l'heure du rendez-vous, alors que lui les attendra au bar, verre à la main, engouffrant des pistaches pour calmer sa nervosité, l'esprit chargé de scènes salaces qui n'auront pas lieu. À peine quarante ans et, parce que sans argent et sans charme particulier, la jeunesse et la beauté ne lui sont déjà plus accessibles. Il n'y a d'ailleurs que les retraités qui le prennent en photo, avant ou après s'être plaints qu'il fait trop froid ou trop chaud ou que ça roule trop ou pas assez vite ou que les fenêtres sont trop sales ou le paysage trop flou ou sa voix pas assez forte ou dans une langue inconnue.

— Vous pourriez pas parler français, non ? On est venus de Paris, nous, de Paris ! On s'est pas tapé toute cette route pour venir ici et rien comprendre, non mais, c'est pas possible.

+++

D'abord la visite du château, ou, plutôt, des quelques salles du château que les propriétaires laissent à l'abandon pour ce côté rustique qui plaît tant aux touristes. Les portes qui donnent sur la modernité des meubles design, des télécommandes et de l'écran géant au plasma restent verrouillées. Immense foyer dans chaque pièce, pénombre, odeur d'humidité et de bois brûlé.

— Attention à la marche. Par ici, par ici, ne vous perdez pas en chemin, n'allez pas par là, merci de ne pas coller vos doigts dans les vitres, un goûter léger vous sera servi dans quelques petites minutes.

+++

Avant le goûter, il y a la visite des caves. La forte odeur de fermentation ne met pas en appétit, mais le déroulement de la visite a été modifié il y a peu de temps pour une question de sécurité : lorsqu'on goûtait les vins avant de visiter les caves, trop de touristes ivres se cassaient la gueule dans l'escalier.

On passe vite, il n'y a rien de bien intéressant à voir : les cuves, les barils, un tas de bouteilles poussiéreuses, une souris que les chats n'ont pas encore capturée. Ça n'empêche pas les touristes de capturer au flash tous les racoins possibles.

— On remonte, attention à la marche, n'allez pas par là.

— Mais mais mais c'est quoi, par là ? Hé, ho, pourquoi on pourrait pas y aller, par là ? On est venus de Paris, nous, putain de merde.

+++

À la demande de Francesco, le chef crache de bon cœur dans les assiettes de petites bouchées destinées au couple venu de Paris rien que pour les emmerder, tandis que le groupe s'installe autour d'une longue table pour goûter les vins locaux. Des serveuses, habits champêtres et salaire minimum, passent et servent le premier vin, cachant leur ennui et leur dégoût de voir sans cesse des touristes qui se ressemblent tous, avec leurs regards enjoués, leurs blagues stupides et leurs questions idiotes. Derrière le sourire de ces jeunes filles en fleur, quelques reflux gastriques.

+++

C'est le moment de « l'activité libre », quarante-cinq minutes qu'on vous suggère de consacrer à la visite de la boutique de souvenirs : achat de vin, d'huile d'olive et de chocolats faits ici même, et tout un tas de babioles empilées dans des bacs. Stylos, calepins, aimants de frigo, n'importe quoi de rouge et vert. Les touristes s'en mettent plein les bras et se bousculent devant la caisse. D'autres, plus rusés, font un petit tour dans les vignobles – *n'allez pas trop loin ne marchez pas là* – et reviennent ensuite à la boutique alors qu'une partie du groupe s'entasse déjà dans l'autocar, repu, docile, attendant de repartir.

— C'est bien beau, la campagne toscane, mais, tout de même, on va pas aller jusqu'à marcher dedans avec nos souliers propres, hé, ho.

Deux jeunes filles caressent un gros chien laineux bien dégueulasse, un couple d'Indiens s'embrasse en y mettant beaucoup de langue, Nathalie choisit une boîte de chocolats pour Laura. *C'est meilleur que le sexe, ça, non?* C'est certainement meilleur que bien du sexe qu'elle a connu, et meilleur encore que son abstinence des dernières années.

+++

Le couple d'amoureux l'interpelle alors qu'elle prend quelques photos au hasard: des coquelicots, la porte de la boutique, le pneu avant de l'autocar. Ils lui offrent de la photographier avec son appareil. Elle refuse en français, puis en anglais mais, rien à faire, ils insistent. Embarrassée, mais voyant que c'est le seul moyen d'en finir, elle prend la pose avec les coquelicots juste derrière.

Alors qu'elle s'est procuré l'appareil pour se fondre dans la masse et se faire oublier, voilà qu'il devient un prétexte pour venir lui parler. Et ça ne lui plaît pas tellement. Chaque rencontre devenant une nouvelle occasion de se ridiculiser, elle préfère depuis longtemps limiter ses contacts avec le monde.

— OK, smile.

— I smile.

— Smile more?

— This is the best that I can do. Awèye.

— OK, cheeeeese!

L'homme finit par prendre la photo et demande à Nathalie de lui rendre la politesse. Elle attend que lui et sa femme s'enlacent et lui fassent leur plus beau sourire et appuie sur le bouton juste au moment où l'homme regarde passer les deux Allemandes d'un air concupiscent. Nathalie leur rend l'appareil et les laisse s'engueuler. Ce couple heureux ne sera bientôt plus qu'un souvenir. Ils ne se donneront même pas la peine de faire développer les photos du voyage.

+++

Au retour, ils croisent un autocar de touristes identique au leur. Des silhouettes entrevues, un autre guide qui commente la route à un autre groupe qui se dirige vers le même vignoble. Léger malaise, réflexion sur la vie, nous ne sommes pas seuls dans l'univers, nous ne sommes pas uniques, pas plus choyés que d'autres, nous sommes la plèbe à qui on ne sourit que pour faciliter les échanges commerciaux.

— On arrive bientôt, oui? Avec tout ça, on n'a même pas eu le temps de pisser et vos chiottes au fond du car, elles puent comme c'est pas permis!

+++

Le groupe s'égaille alors que Nathalie descend la dernière et file sans saluer personne. Deux rues plus loin, elle entend encore le couple de Français se lamenter.

— Eh bien dis donc, ça s'est pas refroidi, hein, non mais c'est crevant, cette humidité, c'est quoi ce pays ?

Elle s'approche d'une poubelle et se débarrasse de son appareil jetable sans être vue. Elle ne saurait quoi faire de ces images ; chez elle, tout n'est que dépouillement, simplicité, murs d'une monotone blancheur. Les souvenirs heureux, du simple fait qu'ils font partie d'un monde qui n'existe plus, suffisent à la rendre morose. *Une photo de moi devant des coquelicots, pourquoi j'aurais envie de regarder ça ?*

+++

Hésitant entre bonheur et déception, Milo observe le colis qui vient d'être livré. Assis dans la salle de repos des agents de sécurité du *Palazzo Pubblico*, il mastique bien comme il faut chaque bouchée de son sandwich et les fait suivre d'une lampée de San Pellegrino qu'il boit à la bouteille.

Déception d'abord. En Amérique, les agents de sécurité font leur ronde un pistolet Taser dans chaque main et tirent sur le moindre suspect, parfois pour le simple plaisir de le voir s'écraser par terre dans de spectaculaires convulsions. Il a vu toutes les vidéos sur YouTube, il a la page du site officiel de Taser dans sa liste de favoris et pourrait presque réciter de mémoire le manuel d'instructions, disponible en format PDF, du modèle C2 qui l'a tant fait rêver. Mais, non. Finis, les rêves. Lui qui aurait hésité longtemps, s'il avait eu cette chance, entre le modèle noir (31010) ou le rouge Ferrari (31080), n'aura pas à choisir : les pistolets à impulsions électriques sont interdits en Italie.

Il chiffonne le papier gras dans lequel était emballé son sandwich et le jette d'une main habile dans la poubelle derrière lui, sans regarder. Il ouvre la boîte avec son couteau de poche et en vide le contenu sur la table. Quatre petits jouets identiques, un pour chacun des agents. Il choisit tout de même le sien avec application, par élimination, selon des critères que lui seul connaît et, encore, peut-être est-ce seulement l'instinct qui guide son geste. Il inspecte l'arme à la lumière et sourit. Avant même d'avaler sa dernière bouchée, il a pris une décision : il deviendra le roi de la matraque.

+++

Il est l'heure de fermer et cette fois Laura a bien compté : personne n'est resté au sommet de la tour pour quelque obscur dessein. C'est qu'elle aura vu de tout, ici, des pervers qui jouent aux exhibitionnistes en dominant la ville jusqu'aux petits malins qui font sonner l'énorme cloche à coups de bâton de baseball. Et puis les suicides. On lui a souvent dit que les journaux n'en parlaient pas afin de ne pas inquiéter les touristes, elle pense plutôt que c'est pour éviter de rappeler aux suicidaires que le campanile est une façon peu coûteuse et très efficace d'en finir, si on néglige de considérer la montée des cinq cent trois marches, qui donne beaucoup de temps pour réfléchir à son geste.

Elle fouille dans son sac à la recherche de sa culotte, qu'elle avait retirée pendant une heure creuse afin de se masturber discrètement. Elle la remet, lisse sa robe fleurie, courte et moulante, ramasse ses clés et verrouille la porte. À l'extérieur, Nathalie semble l'attendre, une boîte de chocolats à la main. Elles se sourient et s'envoient la main. *J'en ai pour cinq minutes*, mime Laura du mieux qu'elle peut. Contente de pouvoir à nouveau échanger en français, avec une Québécoise un peu bizarre de surcroît, elle compte l'argent de la caisse, dépose les recettes dans le coffre et rejoint Nathalie sur la *Piazza del Campo*. Elle ne passait que pour la saluer, mais elles s'entendent vite pour prendre l'apéro à la première terrasse qui s'offre à elles. *Vino bianco.*

Milo s'approche du campanile pour s'assurer que tout se passe bien du côté de Laura. Qui sait, peut-être aurait-elle besoin de ses services pour expulser un touriste qui n'accepterait de partir que sous ses habiles et convaincants coups de matraque ? Il tire et pousse sur les portes vitrées et constate que c'est déjà verrouillé. Les mains de chaque côté de sa tête, il se colle autant qu'il peut sur une porte pour mieux voir à l'intérieur. *Eh bien. Elle est déjà partie. Dommage, dommage.* Il lisse sa moustache, regarde l'heure et s'en va chez lui en sifflotant.

+++

— C'est ton premier voyage en Italie ?

— C'est mon premier voyage tout court ! J'ai gagné un concours. Dix jours à Sienne.

— Juste un billet ?

— Deux, mais, euh, j'avais personne à qui donner l'autre.

— Pas de mari, pas de *bambini* ?

— Eh non.

— Des frères, des sœurs ?

— Une sœur. Élise. On se voit pas beaucoup.

— T'aurais pu le donner à un ami.

— Oui, mais bon, j'en ai pas des tonnes. Je suis un peu misanthrope.

— Mise en quoi ?

— Solitaire. Je suis un peu solitaire.

— Ah, oui, ça, j'avais remarqué ! Je suis pareille. Les gens m'énervent. Tu t'habilles pas comme eux, ils font la grimace, t'as une coupe de cheveux différente, ils font la grimace, tu dis que tu partages pas leur avis, ils font la grimace, tu fumes, ils font la grimace… T'aurais pas des clopes ?

— Non, je fume pas. J'ai jamais fumé, c'est pas bon pour…

— La santé. Je sais, je sais, il y a rien qui est bon pour la santé ! Faut pas fumer ça, faut pas manger ça, faut pas boire ça, faut pas faire ci ni faire ça, des péchés, toujours des péchés…

— Tu parles bien français. J'aimerais parler aussi bien l'italien !

— Ça vient avec la pratique ! J'ai vécu toute ma jeunesse en France. Et on y retourne en famille chaque année. Moi, j'aimerais avoir des seins comme les tiens !

— Que… quoi ?

— Des beaux gros seins tout ronds ! Moi, j'ai des petits trucs de rien du tout.

— Eh ben. Merci.

— Les hommes doivent tous être à tes pieds !

Nathalie hésite entre le rire ou la grimace. Elle a toujours trouvé que des gros seins sur une fille moche, c'était un cadeau empoisonné. Elle a plus souvent vu des « je me branlerais bien entre tes miches » dans le regard des hommes que des « je t'embrasserais bien avec une infinie tendresse pour ensuite te murmurer des mots doux à l'oreille ». Elle préfère cacher sa poitrine dans des chandails bouffants plutôt que de l'exhiber et, à choisir, elle échangerait bien avec les petits seins tout mignons de Laura, ou ceux de Jane Birkin, celle-là même pour qui elle a eu un fantasme lesbien, l'espace d'un été. Elle se repassait alors l'album *Arabesque* en boucle en s'imaginant se rouler dans l'herbe avec elle en entortillant sa langue autour de la sienne. Elle ne sait d'où lui était venue cette image absurde, mais ce curieux désir s'était dissipé tout en douceur, avec la chute des feuilles et l'arrivée des nuits fraîches.

Laura l'observe et Nathalie ne sait pas quoi dire, toujours mal à l'aise quand vient le temps de parler d'elle. Pour éviter d'avoir à livrer les détails de son abstinence plus ou moins volontaire, elle détourne l'attention en lui offrant la boîte de chocolats.

+++

Elles décident d'aller manger pour continuer la conversation alors que les ombres s'étirent et que celle du campanile touche leurs pieds. Laura l'emmène à la terrasse de la trattoria Papei, sur la *Piazza del Mercato*, à deux pas d'*Il Campo* et pourtant débarrassée de la plupart des touristes.

Elle fait remarquer à Nathalie que les serveurs s'amusent à placer les étrangers dans la salle moche éclairée aux néons, tandis que les Siennois profitent de la terrasse ou de la jolie salle aux murs couverts de boiseries.

La conversation s'étire autour d'une carafe de vin et de grandes assiettes de *pici alla cardinale*. Nathalie observe les touristes qu'on amène dans la grande salle sans ambiance et sourit, fière d'être une privilégiée. Elle ne se souvient plus de la dernière fois qu'elle a passé une si belle soirée, qu'elle a autant bu, qu'elle s'est autant confiée à quelqu'un sans avoir l'impression d'être jugée. Elle est la première surprise du plaisir qu'elle y prend ; l'amitié, cette relation qui vous pousse à vous dévoiler aux autres en échange de leurs petits secrets, est une chose que Nathalie n'a jamais recherchée. Elle considère que sa vie plus qu'ordinaire ne mérite pas d'être racontée. L'intérêt que Laura lui porte l'étonne, surtout compte tenu des vingt ans qui les séparent. Mais, ce qui l'étonne encore plus, c'est que la jeune fille reste mince alors qu'elle termine ses pâtes avec l'appétit d'un bouvier bernois et qu'elle se commande ensuite une assiette de viande sans sourciller.

— C'est facile ! Il suffit d'aller aux toilettes entre le plat de pâtes et le plat principal et de se faire vomir.

— Hein ?

— Je blague ! C'est le vélo. Et les cinq cent trois marches du campanile…

— Ouais. Moi, le campanile, il m'a plutôt coupé l'appétit !

Nathalie parle et parle et parle encore, elle ne se reconnaît plus. Elle parle d'elle, de sa ville, de son pays. Laura est surprise d'apprendre que, contrairement à l'idée qu'elle s'en était faite, l'Amérique n'est pas peuplée que d'obèses armés qui entrent dans les *fast-food*, y mangent douze burgers et mitraillent ensuite le reste de la clientèle avant de se tirer une balle dans le crâne.

+++

C'est un tonfa en polymère, précisément, que Milo a entre les mains. Il se différencie de la matraque par sa petite poignée au niveau de la garde. Il s'agit d'une arme asiatique originellement destinée à faire tourner une meule mais, la vie étant ce qu'elle est, même l'humble meunier a parfois l'obligation de défoncer des crânes pour protéger sa famille.

Milo préfère s'entraîner tout de suite au maniement de son arme plutôt que d'attendre le cours d'initiation qu'il suivra avec ses collègues de l'agence de sécurité. Sur YouTube, il a trouvé des dizaines et des dizaines de vidéos, pour les débutants, pour les pros, en technique classique ou avec l'arme tenue en épée ou en tomahawk. La méthode qui le fascine le plus est celle qui consiste à faire tourner le tonfa très rapidement en agrippant la poignée. Sur une vidéo, un homme vêtu de noir fait virevolter le truc à toute vitesse, sur une musique hard rock des années 90. Une majorette de la bastonnade. Milo regarde le clip cinq fois de suite, puis s'installe devant son grand miroir et, après avoir respiré lentement et profondément pour plonger en lui et trouver la force et la concentration nécessaires, y va d'un grand mouvement circulaire, si rapide et si puissant que l'arme lui glisse des mains et fracasse la fenêtre de sa chambre.

+++

Nathalie, soûle, rigole toute seule sur le chemin de la villa, encore amusée par les nombreuses anecdotes de Laura à propos de son frère obnubilé par le Père, le Fils et le Saint-Esprit. Ça lui fait penser au crucifix au mur de sa chambre, mais elle ne fait qu'une grimace et retrouve vite sa bonne humeur. Ce n'est pas un prophète qui va lui gâcher sa soirée. Et puis, cette fois, elle doute que la *signora Zerbino* ait pu retrouver son Jésus et le raccrocher à sa place. Elle cesse vite d'y penser et porte plutôt son attention sur la distance qu'il lui reste à parcourir et sur tout ce qui pourrait lui servir d'appui pour l'aider à marcher en ligne droite.

+++

Tout de même, une fois arrivée à la villa, elle se hâte de monter l'escalier et traverse le salon en cherchant sa clé. Un mélange de curiosité et d'appréhension lui fait trembler les mains alors qu'elle ouvre la porte et allume les lampes. Le mur en face du lit est le premier endroit où elle jette un œil en entrant.

Le crucifix y est accroché.

Elle s'en approche et ne peut que constater que c'est bien le même. *Ces fanatiques sont allés jusqu'à fouiller sous le matelas pour retrouver cette saleté.* L'ivresse aidant, elle le décroche d'un bon coup, ouvre les volets et le jette de toutes ses forces dans le jardin des voisins. Elle l'entend finir son vol dans un buisson et s'en réjouit; il sera impossible à retrouver. Elle attend que ses yeux s'habituent à la pénombre et inspecte les jardins pour s'assurer que personne ne l'a vue. Aucun témoin. Le crime est parfait. Nathalie, voleuse et maintenant vandale. Elle referme les volets en gloussant ; Jésus ne viendra plus l'emmerder. Les propriétaires devront trouver autre chose pour décorer le mur de sa chambre.

Elle se brosse les dents et, repensant à ce que Laura lui a dit plus tôt dans la soirée, soulève son chandail pour se regarder les seins. *Bon, oui, ils sont pas si mal, mais qu'est-ce que ça change ? C'est pas suffisant d'avoir des nichons potables pour qu'un homme qui en vaille la peine tombe amoureux de moi, que je l'aime en retour et qu'on réussisse à s'endurer plus longtemps que quelques semaines. Et puis j'ai passé l'âge de me lancer dans les bras du premier venu. Et puis plus on vit seule depuis longtemps, plus on devient exigeante. Et puis plus on vieillit plus le choix semble restreint. Et puis vivre toute seule, on finit par s'y habituer.*

Elle termine son brossage, se passe la soie dentaire avec application et se met au lit. Elle veille jusqu'à tard dans la nuit, énergisée par sa soirée, à lire des pages et des pages de *Kafka sur le rivage.*

Elle semble maintenant entourée d'un grand mur invisible et son sourire n'invite plus personne.

C'est sur cette phrase qui l'émeut particulièrement qu'elle sombre sans trop s'en rendre compte dans le sommeil.

MERCREDI

Elle se réveille en sursaut, sa lampe de lecture encore allumée, six heures du matin, la bave au coin des lèvres. *Où est-ce que je suis… ah oui.* Elle repousse les coussins qui soutenaient son dos pour s'étendre plus confortablement. Elle remarque son livre, sur ses cuisses, encore ouvert à la page sur laquelle elle s'est endormie. Elle y coince un ticket de musée en guise de signet, le referme et le pose sur la table de nuit. Elle bâille et se couche sur le côté, dans ce doux moment de bonheur où l'on se rend compte qu'on s'est réveillé trop tôt, que rien ni personne ne nous attend et qu'on peut se rendormir pour quelques heures encore.

Et puis elle se redresse d'un coup, grimaçante, les yeux grands ouverts. Un frisson de terreur lui parcourt la colonne vertébrale et elle s'accroche à ses couvertures.

Le crucifix a retrouvé sa place. Pendant la nuit. *Pendant que j'étais dans la chambre. Qu'est-ce qui se passe, ici? C'est impensable que quelqu'un ait pu le retrouver dans un buisson chez le voisin, rentrer dans la pièce sans que je m'en rende compte et le réinstaller au mur. Et puis qui serait assez détraqué pour faire ça ?*

Elle hésite entre descendre l'escalier en hurlant de terreur ou faire comme si de rien n'était. Après tout, ce n'est pas un animal menaçant, elle n'est pas en danger de mort, cette chose est inanimée et puis, de toute façon, cette histoire n'est pas possible. Elle reste assise dans son lit pour réfléchir, pour se calmer, surtout. *En Italie, les crucifix se raccrochent aux murs. Inutile de s'inquiéter. C'est comme ça, par ici. Tout va bien. C'est normal. Et je suis peut-être simplement en train de rêver.*

Elle se lève et s'approche pour l'observer en détail. C'est bien le même, celui qu'elle a lancé dans le jardin, elle reconnaît la petite décoloration du vernis juste aux pieds de Jésus. Cette fois, elle n'ose pas le décrocher. Elle serait incapable de se rendormir et, dans quelques heures, elle aurait peur de découvrir qu'il est encore revenu à sa place. Elle ne veut pas avoir à vivre ça. Le laisser au mur est la meilleure façon de ne plus rien voir d'irrationnel. Elle se couche sous les couvertures, étonnée de réagir avec autant de calme et de maturité.

Cette chose ne va pas m'attaquer. Les crucifix n'ont jamais tué personne. Tout va bien aller, je n'ai pas besoin de. Un volet claque au vent. Elle sursaute et se ravise, elle se donne le droit de paniquer. Elle empoigne sa robe de chambre, sort de la pièce et descend l'escalier en hurlant. Elle hurle et hurle encore, se rend jusqu'à la cuisine, toujours hurlante, où elle est accueillie par *signora Zerbino* et son frère ou mari ou Dieu sait quoi qui l'assiste dans la préparation des déjeuners. Elle, un couteau à la main, et lui, plié en deux comme à son habitude, les bras chargés de tasses en céramique sur un plateau qu'il laisse tomber avant de reculer en jetant de grands yeux épouvantés à cette gorgone surgie de nulle part.

— Votre crucifix se replace tout seul sur le mur de ma chambre !

Ils n'ont rien saisi, et le contraire aurait été étonnant. Mais Nathalie ignore comment le dire en italien. Elle tente donc de le mimer, sans grand succès, et parvient tout au plus à convaincre *signora Zerbino* et le pauvre homme terrifié de monter voir ce qui se passe dans la chambre sept.

+++

Les trois parlent et gesticulent devant le crucifix sans se comprendre. Puisqu'il n'y a pas de manifestation visible de ce que Nathalie explique à grands renforts de gestes, l'aspect surnaturel de la chose est plutôt difficile à capter. Elle essaie donc de savoir qui fait le ménage dans les chambres, qui a pu entrer dans la sienne et replacer le crucifix. Elle préfère éviter de parler de ses cachettes sous le matelas et dans les buissons du voisin et se contente de dire qu'elle l'avait rangé dans un tiroir.

À coups de phrases clés de son *Italien utile en voyage*, elle arrive à poser quelques questions à peu près cohérentes. Les réponses sont décevantes : il n'y a que *signora Zerbino* qui fait le ménage des chambres et personne d'autre n'y serait entré, ni le jour, ni la nuit. Surtout pas la nuit. Ils sont même outrés qu'on puisse supposer qu'ils pénètrent dans une chambre où le client dort sans d'abord lui demander la permission.

Nathalie préférerait tout de même l'impolitesse à l'inexpliqué.

On l'abandonne à ses chimères et ses lubies ; il y a des déjeuners à préparer et quelques touristes réveillés brutalement qui exigent de savoir ce qui se passe. Nathalie ouvre grand les volets. *À bien y penser, ce crucifix, tant qu'il reste là où on l'a mis, il n'est pas très menaçant.* Un film vu dans sa jeunesse lui revient en mémoire, une maison possédée par Satan où du sang dégoulinait le long des murs, où les portes se verrouillaient toutes seules, où personne ne vous entendait hurler. *Nous n'en sommes pas encore là.* Elle file sous la douche en attendant le déjeuner.

+++

Hier, au restaurant, Nathalie a énuméré à Laura tout ce qu'elle a déjà visité à Sienne, afin de savoir si elle avait manqué quelque chose d'important. Laura, sans hésiter, lui a suggéré l'hôpital et, voyant les grimaces de Nathalie, lui a précisé qu'il s'agit d'un *ancien* hôpital qui n'est plus en activité aujourd'hui, mais rempli de fresques illustrant son fonctionnement au Moyen Âge.

— Les hôpitaux, ça me déprime. Et puis par chez moi, on y entre en santé et on en ressort avec une grippe, des microbes ou une bactérie, puis on y retourne aussitôt pour lever les pattes.

Laura a insisté. Après avoir demandé ce que « lever les pattes » voulait dire.

— OK, OK, je vais y aller ! Mais c'est bien parce qu'il me reste rien d'autre à voir !

— Et la campagne ? Ça se visite très bien à vélo.

— Non mais, tu me vois sur un vélo, toi ? Comment on dit « gros cul » en italien ?

Les deux avaient éclaté de rire, comme si c'était drôle, puis avaient cherché à comprendre pourquoi le pain *Pannolino* faisait tirer un voyage à Sienne plutôt qu'à Rome, Florence ou même, d'ajouter Nathalie, Venise. Pas qu'elle en ait contre Sienne mais, tout de même, la place Saint-Marc, les gondoles… Les *vaporetti*, d'ajouter Laura, au grand plaisir de Nathalie, contente de ne pas en avoir parlé la première.

— Les *vaporetti*, oui, bon sang, il y a de quoi rêver.

+++

Tout compte fait, la perspective de déjeuner seule dans cette chambre ne lui plaît guère. Elle prend quelques affaires, se prépare à sortir et revient sur ses pas.

— Toi, mon petit bonhomme, tu viens faire un tour avec moi.

Depuis le temps qu'elle est seule, elle ne le remarque même plus quand elle parle aux objets. Elle arrache le crucifix du mur, le glisse dans son sac et part sans faire son lit. On s'habitue vite à laisser les corvées aux autres.

+++

— Tu connais Oliver O'Grady ?

— Qui c'est, celui-là ?

— Un prêtre pédophile qui a fait de la prison. Il a avoué avoir violé vingt-cinq enfants. Ses supérieurs étaient au courant et tout ce qu'ils ont fait, c'est le promener de paroisse en paroisse quand les potins devenaient trop embêtants.

— Bon, ça y est. La voilà qui recommence.

— Non mais tu te rends compte ? Tu veux donner ta vie à une religion qui protège des pédophiles !

— C'est aussi ta religion, Laura. Nos parents nous ont fait baptiser, t'es un agneau de Dieu, comme moi.

— Arrête de me traiter d'agneau, *cretino* ! Je fais pas partie du bétail au service de ton Dieu !

— Fais-toi apostasier, alors.

— Mais qu'est-ce que tu racontes ? J'ai le droit de croire en Lui sans être sa servante, et surtout sans fermer les yeux devant les charognards qui se servent de la religion pour leurs propres intérêts ! Je vais pas faire comme toi et passer ma vie à genoux. Les gens qui font quelque chose de leur vie se tiennent debout !

Gianluca ne l'écoute plus. Il joint les mains et regarde dans le vide.

— Mon Dieu, pardonnez à ma sœur, cette pécheresse, car elle ne sait pas ce qu'elle dit. Vous qui êtes infiniment bon et infiniment aimable, à qui le péché déplaît…

— Va te faire soigner, *pazzo* !

Elle se prépare un café pendant que son frère murmure sa prière qui semble ne jamais vouloir se terminer.

+++

Alors que Nathalie réfléchit à ce crucifix qui se déplace tout seul, assise à sa table habituelle du *Caffè Fonte Gaia*, lui revient en mémoire un souvenir d'enfance qu'elle avait oublié depuis bien des années. Quand elle était petite, les jours avant Noël, une fois que les paquets étaient enfin déposés sous le sapin, elle redisposait la crèche d'une façon qui lui semblait plus logique : Marie, Joseph, les rois mages et même le bœuf et l'âne, son préféré – qu'elle avait prénommé Mike –, tous les regards en direction de ses cadeaux. Elle prenait le petit Jésus de porcelaine et le cachait entre deux boîtes, dans une branche de sapin, n'importe où pourvu que les figurants de la crèche ne soient plus distraits par lui. Noël, c'était sa fête à elle, une orgie de cadeaux, et ce bébé aux yeux croches peint à la main n'avait pas sa place dans les célébrations.

Chaque matin, tout était à recommencer ; entre le moment où elle allait se coucher et celui où elle descendait en courant voir si des cadeaux s'étaient ajoutés, quelqu'un avait remis la crèche en place, avec ses figurines formant un demi-cercle autour du petit fatigant. Elle était jalouse, mais n'aurait jamais osé s'emparer du petit Jésus, le détruire et le jeter dans les égouts. Pas à cet âge, alors qu'il y avait encore ses parents pour la punir, avant que le temps des fêtes se transforme en souvenir douloureux. Les choses ont bien changé.

Elle avale la dernière gorgée de son café et sort le crucifix de son sac. Elle s'assure que personne ne l'observe, pose la croix sous sa chaise, la tête de Jésus sous une patte, et s'assoit. Ça craque, ça casse, ça soulage. Elle ramasse les morceaux, trois bouts de bois et un Jésus démembré. La tête est introuvable. Elle paie l'addition et s'approche du *Palazzo Pubblico.* Un trou près de l'entrée permet d'évacuer l'eau qui s'écoule de la place en pente lors des averses. Le plus discrètement possible, Nathalie fait passer les restes de l'objet à travers la grille. *Ciao, Jésus ! Je pense pas que tu vas ressusciter dans trois jours, là, hein ?* Elle rigole toute seule, en route vers l'hôpital Santa Maria della Scala.

+++

L'entrée, tellement modeste qu'elle serait facile à rater, est située juste en face du *Duomo di Siena.* Mais, cette fois, Nathalie a réussi à trouver son chemin. *Le plus vieil hôpital d'Europe,* dit un guide. *Un des plus vieux hôpitaux d'Europe,* dit un autre. *Six euros,* annonce la guichetière. *Avanti, per favore, avanti,* ajoute-t-elle.

Nathalie erre de salle en salle, au hasard, le plan qu'elle tient à l'envers ne lui est d'aucune aide pour s'y retrouver. Elle s'attarde un bon moment devant une fresque de Domenico di Bartolo décrivant les soins des malades au quinzième siècle, ravie de ne pas y retrouver l'habituel Christ ensanglanté, la sainte Catherine stigmatisée ou les chérubins joufflus qui peuplent tous les tableaux qu'elle a vus en Italie jusqu'à maintenant. Elle continue. *On s'y perd, là-dedans.* Elle repasse trois fois dans la même salle, en cherche une qu'elle ne trouve pas, se trompe d'escalier, remonte, tourne, revient, s'égare, se retrouve, *c'est peut-être par ici,* fausse alerte, retourne, repasse, admire une fresque, passe vite devant les nombreuses chapelles. Elle préfère ne pas trop s'attarder devant les Jésus. Du Jésus, elle considère en avoir eu plus que la dose quotidienne recommandée. Elle cherche les toilettes. *En bas de cet escalier-là, peut-être?*

Non.

Au bout d'un long corridor mal éclairé, un crâne humain, exposé dans une niche protégée par un panneau de plexiglas, accueille les visiteurs à l'entrée d'une chapelle souterraine. La salle se distingue des autres: remplie de boiseries, les murs peints en noir, avec de longues draperies en soie rouge qui glissent jusqu'au sol. L'ensemble crée un effet de malaise et d'étouffement plutôt réussi. Nathalie s'y aventure, d'un pas mal assuré, plus par curiosité que dans l'espoir d'y trouver des toilettes. L'éclairage anémique est assuré par quelques cierges posés sur l'autel. Il n'y a ni fenêtres ni ampoules électriques, et rien ne lui indique dans quel siècle elle vit. Elle pourrait tout aussi bien être au Moyen Âge.

L'endroit est désert. Elle passe près d'un confessionnal et en soulève le lourd rideau noir afin de s'assurer que personne ne s'y cache. L'ambiance sacrée des lieux, empreinte d'une foi mystique, presque magique, la laisse bouche bée. Des ombres mouvantes jusqu'aux odeurs d'encens et de vieille étoffe, du silence feutré jusqu'à la froideur des bancs de bois sculpté, le dépaysement est total. Elle n'a jamais ressenti rien de tel, comme si la sainteté des lieux balayait sa peur habituelle des endroits clos. Elle s'assoit devant l'autel, au premier rang, pour mieux se laisser imprégner.

Un crucifix énorme, bordé de statues, est éclairé comme en plein jour. L'étrangeté de la chose ne la frappe pas tout de suite, elle regarde ailleurs, ébahie, baignée dans cette atmosphère insolite comme dans un cocon protecteur. Puis elle l'aperçoit, ce Christ grandeur nature posé sur sa croix, au moment où il ouvre les paupières, tourne la tête dans sa direction et la regarde droit dans les yeux.

+++

Laura replace les cartes postales en attendant la clientèle, surprise d'être aussi peu occupée. Il est encore tôt mais il fait beau et chaud, une température qui met des sourires aux visages, enchante les touristes et convainc les déprimés suicidaires de grimper en haut de la tour et de passer à l'acte. Deux trentenaires italiens entrent pour acheter des billets. Elle retourne à sa chaise et leur sourit derrière sa baie vitrée à l'épreuve des balles. Homosexuels, sans doute, mais ça n'empêche pas Laura d'ouvrir grand les cuisses pour s'exciter un peu. Si le comptoir n'y était pas, ils pourraient constater l'absence de culotte sous sa petite robe d'été. Exposer ainsi sa chatte l'émoustille et la fait fantasmer, une façon comme une autre de meubler ses heures de travail. Elle rêve qu'ils dézippent leurs braguettes et qu'ils laissent tomber leurs pantalons sur leurs cuisses brunes et musclées, lui laissant voir leurs pénis, de beaux gros membres veineux, doux et chauds, chacun le pétrissant d'une main pour le faire bander, s'approchant d'elle, derrière son comptoir, pour qu'elle puisse y goûter. Les lécher tous les deux, des couilles jusqu'au gland, enfoncer une bite et puis l'autre dans le creux de ses joues, puis profondément dans sa gorge, sucer un des hommes et branler l'autre pour les faire jouir en même temps, recueillir leur sperme sur ses lèvres et sa langue… Elle reprend ses esprits. Leurs billets achetés, les deux hommes commencent l'ascension du campanile sans s'attarder aux photographies d'époque exposées à l'entrée. Laura se titille le clitoris en soupirant, déçue de les voir partir, pourtant habituée au fait qu'il ne se passe jamais rien d'excitant pendant les heures ouvrables.

+++

Elle voudrait hurler, mais sa terreur est telle qu'elle en est incapable. Elle voudrait se lever, courir, bondir vers la sortie, mais sait que ses jambes ne la porteraient pas. Elle reste là, donc, à rassembler ses forces et, surtout, à tenter de ne pas sombrer dans la démence. Tout est revenu à la normale, le Christ a repris sa posture habituelle, mais ces quelques secondes où il a posé les yeux sur elle, en elle, l'ont mise dans un état catatonique.

Ce n'est qu'au bout de longues minutes qu'elle réussit à se lever, vidée de son énergie, et qu'elle traverse la chapelle en s'appuyant sur tout ce qui s'offre en chemin. Elle retrouve le crâne à l'entrée, puis le long corridor et l'escalier au bout, qu'elle atteint en titubant. Elle reprend son souffle avant de monter, péniblement, sans même oser un regard par-dessus son épaule. Pour rien au monde elle ne voudrait revoir cette chose. Livide, elle trouve son chemin vers la sortie sans même y réfléchir ni consulter le plan de l'hôpital, froissé dans son poing. Elle marche lentement jusqu'au *Duomo*. Il lui semble que l'air du dehors est le plus pur, le plus doux qu'elle ait jamais respiré. Elle laisse entrer l'oxygène à pleins poumons, puis, penchée vers l'avant, vomit de longs jets de bile sur le parvis de l'église.

+++

Gianluca est attablé à une terrasse de la *Piazza del Campo* et lit le *Catéchisme du concile de Trente* en sirotant une boisson gazeuse, à la bouteille, avec deux pailles.

Ceux qui, dans une guerre juste, ôtent la vie à leurs ennemis, ne sont point coupables d'homicide, pourvu qu'ils n'obéissent point à la cupidité et à la cruauté, mais qu'ils ne cherchent que le bien public. Les meurtres qui se font par la volonté formelle de Dieu ne sont point non plus des péchés. Les enfants de Lévi qui firent périr en un seul jour tant de milliers d'hommes ne commirent aucune faute. Après le massacre, Moïse leur dit: « Vous avez aujourd'hui consacré vos mains au Seigneur. »

Il lève les yeux et songe à ces sages paroles en mâchouillant une paille. Il salue deux fidèles et remarque une dame qui traverse la place en courant. *N'est-ce pas cette Québécoise que m'a présentée ma sœur? On jurerait qu'elle a vu le diable.* Il la suit des yeux un moment puis retourne à son livre.

Les touristes quittent leurs chambres d'hôtel et envahissent peu à peu la place, remplissent les cafés, tournant la tête en direction du soleil en fermant les yeux et en s'étirant les jambes. Une journée tranquille à Sienne, si ce n'était de cette dame qui court dans les rues de la ville en cherchant son chemin.

+++

Elle enjambe le chien et entre dans la villa, monte les marches deux par deux, traverse le petit salon, ouvre la porte de sa chambre, entre, verrouille derrière elle, se jette sur le lit, tout ça en une seule respiration. Le chien n'a pas encore relevé la tête pour voir qui arrivait que Nathalie est déjà roulée en boule sous les couvertures. Trempée de sueur, incapable de réfléchir, elle tente avant tout de reprendre haleine. *Jeveuxpasrestericijeveuxrentrerchezmoi.*

Faire ses bagages. Taxi. Train. Avion. Partir, tout de suite, prendre le premier vol, peu importe le prix. Elle veut se lever, elle n'ose pas bouger, elle hésite. *Si j'hallucine, que ce soit ici ou chez moi, ça changera rien.* Elle ne sait plus. *Qu'on décide à ma place, voilà bien la seule chose qui me manque de la vie de couple.* Pour peu, elle s'ennuierait presque de « Pascal l'anal », le dernier homme qu'elle a fréquenté. Cette pensée, aussi absurde que triste, la détend un peu.

+++

Pascal, elle l'avait rencontré à la boutique. Il avait besoin d'une photo pour le renouvellement de son passeport. Il l'avait fait rêver en lui parlant des *vaporetti* qui font la navette sur l'eau entre Venise, Murano et les autres îles autour. Enjôlée par son récit plus que par sa calvitie, elle avait accepté l'invitation à souper dans un « petit italien sympathique », qui s'était révélé n'être qu'un Pacini avec vue sur un stationnement et un grand boulevard.

Qu'à cela ne tienne : enivrée par le vin maison trop chaud, elle avait accepté qu'il la raccompagne chez elle. Il avait baissé son pantalon sitôt entré ; passé trente ans, il est rare qu'on s'empêtre dans les détails, le romantisme et la subtilité avant de dévoiler nos envies. Ça s'annonçait plutôt bien, jusqu'au moment où, alors qu'il la prenait par derrière, il lui avait craché entre les fesses pour la lubrifier afin de lui glisser la bite au fond du cul. Plus moyen de coucher avec un homme sans qu'il tente une percée de ce côté, avait-elle pensé. Il s'était permis d'insister malgré ses *oh non non non pas là, non non non, j'aime pas ça.* Elle avait donc serré les fesses et lui avait demandé de rentrer chez lui.

En le regardant remettre ses pantalons beiges à plis qui lui faisaient de grosses fesses, elle avait soudainement pris conscience que les hommes attirants n'étaient pas attirés par elle. Elle n'avait droit qu'aux chauves et aux suintants, aux gras et aux poilus. Et ce n'est pas parce qu'elle se trouvait moche qu'elle avait envie d'hommes moches. C'est en ramassant le condom vide et rabougri, qu'il avait jeté par terre avant de partir, qu'elle s'était dit que la solitude était préférable à un homme qui tente de vous baiser le cul après vous avoir emmenée chez Pacini.

+++

Elle prend un bain. D'habitude, ça l'aide à réfléchir. Mais il y a longtemps qu'il ne lui est pas arrivé quelque chose qui mérite réflexion. La mort de ses parents, le partage de l'héritage entre sa sœur et elle et, depuis, plus rien. Que la tranquillité d'un commerce déserté par les acheteurs, d'une santé stable, d'un réseau d'amis quasi inexistant. Sans grandes joies, sans grandes peines, une vie qui ne l'a jamais poussée à remettre le monde en question.

Aujourd'hui, dans les vapeurs de son bain, elle se rend bien compte que tout pourrait changer. Elle a la désagréable impression d'être à la croisée de deux mondes, qu'il lui faut choisir une direction à emprunter. Le plus simple serait de se taire, comme d'habitude. D'essayer de se convaincre qu'elle a rêvé tout ça. Mais l'envie de raconter ce qu'elle a vu est forte. Passer pour une folle, sans doute, mais se libérer de cette vision.

À qui parler ? À sa sœur, qu'elle ne voit que deux fois l'an ? À Laura, qui risque de se moquer d'elle ? À un prêtre ? Un prêtre, non. C'est hors de question. Un prêtre serait assez fou pour donner de la crédibilité à ce qu'elle lui racontera. Ce qu'elle veut, c'est qu'on la rassure, qu'on rigole, qu'on lui explique que bien des gens s'imaginent voir des phénomènes étranges dans cette chapelle mal éclairée, que c'est normal, qu'il ne faut pas s'en faire. Oui, voilà. Elle veut qu'on lui dise que tout est normal. Que le monde, son monde, n'a pas changé depuis hier, que tout est comme avant.

Après s'être séchée, elle enroule la serviette autour de son corps, prend une grande respiration pour se donner du courage et s'approche du crucifix, intact, accroché au mur, à l'endroit qui est le sien et qu'il regagne sans cesse, en dépit de toute logique, qu'elle le lance dans un buisson ou le jette en plusieurs morceaux dans les égouts de la ville. Elle réfléchit un moment puis bricole un écran de protection rudimentaire à l'aide d'un dépliant touristique. Elle l'ouvre et en replie les coins pour mieux le coincer entre le mur et la barre horizontale de la croix. Elle a cessé de se battre contre cette force inexplicable, mais elle n'a pas envie de le voir ouvrir les yeux.

Au fond, elle sait bien que personne ne pourrait la rassurer. Il ne reste plus rien du monde tel qu'elle le connaissait.

+++

JEUDI

La solitude, elle croyait savoir ce que c'était. Mais ces longs jours passés dans sa boutique d'équipement photographique à attendre les clients sans vraiment les espérer, ces années à vivre dans le petit appartement situé juste au-dessus, dans un silence apprivoisé, ce n'était pas tout à fait ça. On ne ressent la solitude qu'au moment où l'on a besoin de quelqu'un. Seule, Nathalie s'occupe. Elle lit, elle cuisine des repas simples qu'elle mange devant la télé, elle prend de longues marches en début de soirée dans les rues désertes de Saint-Charles-Borromée, elle trouve toujours de quoi se distraire. Elle sait quoi faire pour que le temps passe, ni trop vite, ni trop lentement. Le célibat prolongé l'a amenée à vivre ses peines et ses joies sans avoir à les partager, sans chercher l'approbation ou la pitié. Ce qu'elle ressent aujourd'hui, c'est une peur qu'elle ne sait comment soulager.

L'inexplicable, voilà bien une chose qu'on ne devrait pas vivre seul.

+++

Le père Pio roule sa chaise jusqu'à la fenêtre de son petit studio, dans le presbytère de la rue *dei Fusari*. Il tousse en expirant un peu de fumée, secoue la tête et jette son mégot par la fenêtre. Il se donne une poussée pour revenir devant sa table de travail, trop paresseux pour se lever. Il ouvre son ordinateur, tape à deux doigts l'adresse *suicidegirls.com* et clique sur la série de photos d'une petite nouvelle, Venusia, une Espagnole avec une Sainte Vierge tatouée en haut des fesses, pas un poil au pubis et un anneau qui lui traverse le clitoris. Il se crache dans la paume et remonte sa soutane. *Elle a le péché dans les yeux, la salope.*

+++

On cogne à sa porte. Nathalie aurait envie de savoir qui c'est mais n'a pas envie de se lever du lit pour ouvrir. Elle décide de ne pas bouger. S'ils viennent pour le ménage, ils n'auront qu'à nettoyer autour d'elle.

— Alloooooo. Il y a quelqu'un ? C'est Laura !

— Qu'est-ce que tu fais là ?

— T'avais dit que tu viendrais me voir, hier ! C'est madame Cornetto qui m'a laissée entrer.

— Qui ?

— Flora Cornetto, la propriétaire.

— Cornuto, c'est pas le nom de la villa ?

— Cornetto, Cornetto ! Cornuto, ça veut dire « cocu » !

— Elle s'appelle pas Zerbino, la propriétaire ?

— T'es marrante, toi ! Zerbino, c'est le nom de son chien ! Ça veut dire « moquette », en passant.

— Oups.

— Bon, allez, on se parle à travers la porte toute la journée ou bien tu me laisses entrer ? Je profite de mon congé pour faire une balade à vélo. Je me demandais si tu voulais m'accompagner.

— Ah bon ?

Blottie dans la vieille robe de chambre qui a fait le voyage avec elle, Nathalie s'étonne que quelqu'un pense à elle, s'inquiète même de ne pas l'avoir vue la veille et, plus encore, l'invite à une quelconque activité. Quand on lui démontre de l'intérêt, son premier réflexe est toujours la fuite. Mais, aujourd'hui, à Sienne, elle croit bien avoir besoin d'une amie. Elle déverrouille la porte, l'ouvre et laisse entrer Laura, qui grimace en agitant une main devant son visage et s'empresse d'ouvrir la fenêtre et les volets.

— T'es allergique à l'air pur ou quoi ?

Nathalie pouffe de rire devant l'attitude frondeuse et sans gêne de Laura. Déjà, sa présence lui fait du bien.

— Allez, change-toi ! On fait pas du vélo fringuée comme ça !

Pendant que Nathalie s'habille dans la salle de bain, Laura inspecte la chambre et se retient de fouiller partout. Elle se demande pourquoi un dépliant touristique est fixé au mur de si étrange façon. Elle le soulève et le laisse retomber, perplexe. *Si elle veut pas voir le crucifix, ce serait pas plus simple de le décrocher et de le mettre dans un tiroir ?*

+++

En sortant de la villa, ils croisent Flora Cornetto qui donne à boire à « Moquette ». L'épagneul français se contente de s'étirer le cou pour atteindre son bol d'eau sans avoir à se lever. Laura vante sa victoire.

— Je vous l'avais bien dit que je réussirais à la faire sortir !

Les deux se réjouissent, discutent comme si Nathalie n'y était pas, elle-même embarrassée d'être le sujet de discussion. Elle détourne la conversation en remerciant une fois de plus *Signora Cornetto* pour les repas, aussi pour les magazines en français qu'elle lui a dénichés, et la rassure en disant que ce n'était qu'une petite fatigue, *piccola fatica*, peu habituée de mentir, dans une langue ou dans l'autre, le mensonge n'étant utile que lorsqu'on fréquente les gens. Laura s'amuse de son italien rudimentaire et met fin aux politesses en tirant Nathalie par le bras avant qu'elle change d'idée. Zerbino y va de quelques coups de queue devant cette effusion de bonheur, avant de poser sa tête au sol, de pousser un long soupir et d'espérer qu'on lui foute la paix sans avoir à les mordre à la gorge pour les faire taire.

+++

Après avoir loué un vélo pour Nathalie, elles s'arrêtent à une petite épicerie et remplissent leurs paniers avec des sandwichs, des fruits et tout un tas de desserts.

— C'est pas trop engraissant, tout ça ?

— Mais non ! On s'en va justement dépenser plein de calories.

Elles empruntent une route qui les mène très vite en pleine campagne. Des champs, quelques villas cossues, et pas la moindre voiture à l'horizon. Un gros chien blanc les accompagne un instant, puis les regarde s'éloigner en leur adressant des jappements candides. Elles traversent de grands vignobles et des oliveraies, sous un ciel sans nuage, interrompant leur conversation quand un oiseau au chant plus harmonieux que les autres se fait entendre.

Laura propose de pique-niquer à l'ombre d'une petite chapelle, idée que rejette Nathalie qui, d'un air écœuré, propose plutôt de s'asseoir par terre, un peu plus loin, sous un gros arbre à l'orée d'un champ.

Étendues sur la nappe à carreaux blancs et rouges, pieds nus, les deux soupirent de bonheur. Laura fouille dans son sac et en sort une bouteille de vin d'un air triomphant. Nathalie adresse à sa compagne un sourire faussement offensé.

— C'est pas de l'eau qu'il faut boire quand on fait du sport?

Le Chianti Classico passe de main en main, et ce n'est qu'une fois la bouteille à moitié bue, alors que l'alcool et le soleil y vont de leurs effets enivrants, que Laura déballe d'un coup les interrogations qui la chicotent depuis un moment:

— Pourquoi tu voulais plus sortir de ta chambre? Pourquoi t'avais peur de t'approcher de la petite chapelle tout à l'heure?

Nathalie avale péniblement sa bouchée de sandwich.

— T'es capable de garder un secret?

Laura, à la blague, fait signe que non. Puis elle hausse les épaules.

— Mais si, je peux garder un secret ! Si tu veux, je te dirai ensuite un des miens…

+++

Après quelques hésitations, Nathalie se décide à tout lui raconter. De l'immense croix sur laquelle Jésus l'a regardée dans les yeux jusqu'au crucifix qui se promène tout seul dans sa chambre, elle n'omet aucun détail, en prenant soin de préciser à maintes reprises qu'elle ne croit ni en Dieu, ni aux phénomènes paranormaux, ni même à la capacité d'une marmotte à prédire combien de temps durera l'hiver.

Laura écoute, d'abord sans croire un mot, amusée, convaincue que Nathalie teste sa crédulité mais, plus elle y pense, moins elle comprend quel intérêt il y aurait à inventer une pareille histoire. Elle pose des questions qui restent sans réponses et tente, comme son amie avant elle, de trouver des explications rationnelles aux évènements. Quoique fascinée, elle n'en demeure pas moins sceptique et insiste pour enfourcher les vélos sans plus attendre et retourner en ville pour visiter l'hôpital. Elle a beau avoir un doute raisonnable quant à l'existence de Dieu, elle ne va pas se mettre à croire à tout ça avant de voir un phénomène de ses propres yeux. Et elle souhaite que ce soit spectaculaire. Que Jésus s'arrache d'un crucifix et lui chante la pomme tout en faisant de la danse à claquette, un truc dans le genre. Après tout ce temps passé à tourner au ridicule les croyances irraisonnées de son frère, il lui faudrait tout un miracle pour l'émouvoir.

Elles terminent le vin à grandes gorgées et prennent le plus court chemin vers Sienne, étourdies, avec quelques difficultés à rouler en ligne droite. Une fourgonnette ralentit et roule à leur vitesse un petit moment ; le conducteur et son passager sont bouche bée devant les charmes de Laura, en danseuse sur son vélo, avec son short qui lui couvre à peine les fesses et son chandail léger couleur framboise qui laisse ses petits seins se dandiner au rythme de ses coups de pédales. Le véhicule repart en soulevant de la poussière alors que les deux hommes en rut poussent des cris d'animaux. Laura rigole.

— Tu vois, moi aussi, il y a des barbus qui tournent la tête pour me dévisager !

Nathalie pouffe à son tour.

— Jésus avait un regard moins vicieux, mais c'est vraiment juste parce que j'ai pas un cul comme le tien !

+++

Laura achète son billet et entre à l'hôpital Santa Maria della Scala. Elle a eu beau insister, Nathalie est beaucoup trop effrayée pour y retourner. Laura part donc seule en quête de cette fameuse apparition pendant que Nathalie surveille les vélos, assise dans les marches du *Duomo*, une coupe de *gelato* poire et vanille à la main. Elle mange sans trop y prendre plaisir, inquiète pour son amie. Elle regrette de l'avoir laissée partir seule mais n'ose pas la rejoindre, encore et toujours coincée entre la culpabilité et la lâcheté.

Elle n'aura pas le temps de changer d'idée et de courir à son secours puisque, déjà, Laura est de retour. Nathalie se lève et descend quelques marches pour avoir les nouvelles plus rapidement.

— C'est fermé.

— Comment ça, c'est fermé ?

— Ils ont bloqué l'accès, ils font des réparations.

— Depuis quand ?

— Depuis hier.

— Est-ce qu'ils ont dit que c'était parce que Jésus bougeait sur sa croix ?

— Oui. Il paraîtrait même qu'il s'est mis à projeter des rayons laser mortels avec les yeux. Ça partait dans toutes les directions ! On parle d'au moins cinquante morts.

— Dommage qu'on ait raté ça !

— Sans blague, ils ont seulement parlé d'un entretien de routine.

Un silence s'installe, elles sont déçues toutes les deux. La preuve que Laura voulait est inatteignable et, sans ça, Nathalie sait bien que son histoire semble peu crédible. Mais Laura, enthousiaste, ne désespère pas.

— Bon, allez, on embarque des pizzas pour emporter, deux bouteilles de Chianti Classico et on file dans ta chambre attendre que ton crucifix se déplace.

— Amen.

+++

Assises toutes les deux sur le lit, elles mangent leur repas sans se presser, le regard posé sur le mur, où une trace plus pâle laisse deviner qu'il y avait là un crucifix. Elles boivent le vin à une cadence régulière, plutôt rapide.

— Donc, tu me dis qu'il est capable de sortir du tiroir et de se raccrocher au mur.

Nathalie hoche la tête en avalant une bouchée.

— Mais c'est jamais arrivé pendant que je regardais.

Les deux réfléchissent, le cerveau au ralenti à cause de tout cet alcool. Elles conviennent d'aller se cacher dans la salle de bain, afin de permettre au crucifix de se déplacer à son aise, sans être vu. Il est timide, peut-être.

Elles s'y rendent en chancelant, apportant avec elles la bouteille de vin restante. Nathalie s'assoit sur le siège des toilettes et Laura sur le bord du bain, avant de s'y glisser en laissant dépasser ses jambes. C'est moins d'efforts que d'essayer de garder l'équilibre.

— Tu m'avais pas dit que t'avais un secret, toi?

Laura relève la tête et sourit d'un air espiègle.

— J'essaie de devenir une *Suicide Girl.*

Devant son air interloqué, Laura comprend que Nathalie n'a aucune idée de ce que ça peut être. Elle explique que ça n'a rien à voir avec des présumées intentions suicidaires, qu'il s'agit plutôt d'un site bien connu de photos érotiques où les filles ne sont pas dénaturées par Photoshop pour les rendre lisses et sans défauts. Rien à voir non plus avec les mannequins livides des revues de mode, avec des moues de truite et le regard mort. De vraies filles avec de l'attitude et de la chair autour de l'os, des tatouages et des *piercings*, et qui véhiculent une image ludique de la sexualité sans avoir l'air d'esclaves sexuelles pour hommes dominants. Elle ajoute que les photos qu'on envoie sont examinées par un comité ; ne devient pas une *Suicide Girl* qui veut. Pour l'instant, ses deux séries de photos ne lui ont pas valu cet honneur, sans doute à cause de la piètre qualité des clichés, pris par une cousine qui ne s'y connaît pas plus en éclairages qu'en composition et qui, la main mal assurée, a plutôt réussi des flous artistiques qu'autre chose. Laura aimerait trouver un bon photographe, mais n'a pas envie de se montrer nue devant n'importe qui.

— Je savais pas que t'avais des tatouages !

— Rien qu'on puisse voir quand j'ai des vêtements… Si ma mère voit ça, elle me tue !

— Tu veux pas te montrer nue devant n'importe qui, mais tu veux mettre tes photos sur Internet ?

— C'est pas pareil… et puis je me dis que quand je serai vieille et flétrie, je me féliciterai d'avoir fait ces photos pendant qu'il était temps.

— Tu te féliciteras peut-être moins de les avoir répandues sur le Web…

Laura balance d'un haussement d'épaules les inquiétudes de Nathalie, l'air de dire « si on ne fait pas de folies quand on est jeune, quand est-ce qu'on en fera ? ». L'espace d'une seconde, Nathalie est tentée de lui dire qu'elle est propriétaire d'une boutique de photo, mais elle préfère se taire et boire une gorgée de vin. Elle doute qu'à jeun, demain, elle aura envie de prendre des photos de Laura dans des poses lascives. Elle se demande tout de même de quoi peuvent bien avoir l'air les tatouages et les *piercings* qu'elle cache à sa mère.

— T'as aucune amie qui est bonne en photo ?

— Aucune devant qui je pourrais me montrer nue sans me faire juger ! Les gens sont assez prudes, ici ! Coincés, même. Et, des amies, c'est pas comme si j'en avais des masses. Les filles, ça joue beaucoup à la petite princesse : belles robes, talons hauts, maquillage, il y en a beaucoup qui font pas grand-chose d'autre que de se chercher un mari. À côté d'elles, j'ai l'air d'un garçon manqué. Et je pense que je leur fais peur, avec mes bottes d'armée et mes t-shirts de groupes rock. Savoir que je veux faire des photos érotiques, elles me jetteraient probablement de l'eau bénite.

— C'est sûr que moi, les bottes d'armée, c'est vraiment mon genre…

Laura rit de bon cœur.

— Toi, c'est pas pareil ! T'es pas fermée d'esprit ! Et si tu te donnais la peine et que t'arrêtais d'acheter des vêtements beiges et informes, tu pourrais être vraiment sexy !

Nathalie s'étouffe sur sa gorgée, tellement l'idée que quelqu'un puisse la trouver séduisante lui paraît farfelue.

Elles portent un toast à leur amitié improbable, le mouton noir et le mouton beige dans un monde rose bonbon.

+++

Le soleil est couché depuis longtemps et il ne s'est toujours rien passé. Le crucifix est encore dans le tiroir et il n'y a plus rien à boire. Laura bâille et se penche à la fenêtre pour prendre une grande bouffée d'air, le dos cambré, les fesses bien en évidence. Nathalie l'observe en souriant et se dit que ça ferait une très belle photo pour les *Suicide Girls.* Sexy, mais pas vulgaire. Laura ramasse ses affaires et les met dans son sac. Elle est fatiguée, soûle et veut dormir. Nathalie a une illumination soudaine. Elle sort la croix du tiroir.

— Cache-la quelque part en arrivant chez toi. Demain matin, si elle est plus là, tu sauras qu'elle est revenue ici !

Laura est enchantée par l'idée. Elles s'embrassent sur les joues et Laura descend l'escalier puis échange quelques mots avec Giovanni Cornetto, le vieil homme plié en deux, qui s'avère être le frère de madame Cornetto.

Une vingtaine de minutes plus tard, elle se glisse dans ses draps frais en ronronnant de plaisir. Elle a tout juste le temps de glisser le crucifix sous son matelas avant de s'endormir.

VENDREDI

Les petits coups frappés à sa porte réveillent Nathalie. Elle ouvre un œil et le referme aussitôt. Elle prendra son déjeuner froid, quand elle aura la force de se lever. On cogne à nouveau. Elle grogne, sans comprendre pourquoi on insiste. Elle se lève donc, embrumée, confuse, mais sans le mal de tête qu'elle redoutait. Elle déverrouille la porte alors qu'on cogne une troisième fois.

— Oui, oui, on se calme, je suis là !

Le vieillard plié en deux attend patiemment, l'air embarrassé. Il se présente officiellement, serre la main de Nathalie et, à voix basse, lui parle en italien. Elle ne comprend pas un mot.

— Je suis désolée, mais pourriez-vous parler plus fort ? moins vite ? en français ? Vous me dites quoi, là, qu'il y aura pas de déjeuner ? *No colazione*, c'est ça ?

Giovanni Cornetto secoue la tête et tapote sa montre. Ah, oui, effectivement, ce n'est pas encore l'heure du déjeuner. Elle hausse les épaules, prête à refermer la porte. Il lève un doigt pour lui signifier qu'il va tenter de s'exprimer autrement. Il réfléchit un peu, puis pose les mains sur les hanches, plie les genoux et pousse tant bien que mal son bassin vers l'avant, en donnant de petits coups, sortant sa langue sous l'effort. Nathalie, stupéfaite, écarquille grand les yeux. Comme si ça ne suffisait pas, il lui fait signe de s'approcher.

— Non mais t'es pas un peu malade? Débarrasse, gros cochon! *Maniaco sessuale!*

Elle claque la porte, satisfaite de cette dernière insulte que lui a apprise Laura. Non mais, qu'il essaie un peu de l'approcher, ce vieux schnoque, et elle va lui débloquer le dos à coups de pied au cul.

Nathalie verrouille la porte et retourne sous les couvertures en espérant dormir encore un peu avant le déjeuner. Ce n'était qu'un rêve, c'est ça, oui, plus elle y pense, plus elle se convainc qu'elle doit avoir rêvé cette scène disgracieuse. Qu'un crucifix se déplace, passe encore, mais qu'un homme, ne serait-ce qu'un vieillard paralytique, soit attiré vers elle au point de mimer l'acte sexuel devant sa porte, là, vraiment, elle n'y croit plus.

C'est décidé, dès son retour au Québec, elle consultera un neurologue. Électrochocs, lobotomie, ou qu'on lui arrache tout simplement les yeux, elle est ouverte à toutes les options.

+++

C'est un rai de lumière qui lui arrive droit dans les yeux qui réveille Laura. Elle grogne de mécontentement et se tourne de l'autre côté, un mouvement assez brusque pour constater qu'elle est encore étourdie. Elle tire les couvertures par-dessus sa tête pour retrouver l'obscurité et soupire de satisfaction. Elle donne machinalement quelques petits coups de bassin sur l'oreiller calé entre ses cuisses et sourit. *Mmmm.* Elle glisse une main dans sa culotte en se pétrissant un sein de l'autre. Elle mouille très vite, écarte les jambes et fait glisser ses doigts d'un mouvement circulaire de plus en plus grand et de plus en plus ferme en se mordillant la lèvre inférieure pour éviter de faire trop de bruit. Elle ne pense à personne en particulier, que des corps d'hommes, nus et musclés, un phallus qu'elle prend entre ses mains et qu'elle masse pour le voir se gorger de sang, qu'elle fait glisser un moment sur sa chatte pour l'humecter avant de l'enfoncer en elle, qu'elle se sente remplie par ce membre doux et chaud, qu'il la pénètre dans une cadence régulière jusqu'à ce qu'elle se convulse de plaisir. Ses doigts mouillés ne lui suffisent plus. Elle étire un bras hors du lit pour atteindre son godemiché, caché entre le matelas et le sommier. Ce n'est qu'à ce moment qu'elle repense au crucifix. Elle cesse de se masturber et fouille d'une main, puis avec les deux, se lève ensuite d'un bond pour sortir du lit et pouvoir soulever le matelas. Son jouet sexuel y est, le petit contenant de métal où elle cache quelques joints aussi. Le crucifix, lui, n'y est plus.

Elle se donne tout de même la peine de regarder dans son sac, sous son lit, dans ses tiroirs, en sachant très bien que ça ne servira à rien.

+++

En chemin pour aller voir Nathalie, Laura décide de prendre le temps de boire un grand bol de café au lait, afin de se clarifier l'esprit. Elle s'arrête au *Gabbiano*, un des rares bistrots de la rue Santa Caterina que les touristes n'ont pas encore découverts, et s'installe au comptoir. Toujours contente de la voir, Marianna, la patronne, une amie de sa mère, discute avec elle un moment.

C'est par elle que transitent généralement les rumeurs et les potins de Sienne ; elle sait tout avant tout le monde, sans avoir à bouger de derrière son comptoir. Elle apprend à Laura qu'il se passerait des choses étranges à l'hôpital Santa Maria. Un crucifix qui pleure du sang, ou un truc dans le genre. Laura s'étouffe sur sa gorgée de café.

Elle aurait envie de lui raconter ce qu'elle sait, encore troublée par l'étrange moment qu'elle vient de vivre, mais, à bien y penser, elle préfère éviter de passer pour une folle.

+++

Assis devant son ordinateur portable, dans un petit bureau encombré au sous-sol de l'hôpital Santa Maria, le père Pio repasse une fois de plus l'enregistrement vidéo qu'on lui a transféré sur DVD. Il visionne au ralenti le moment où la dame sort de la chapelle avec un air halluciné, en titubant, jusqu'au moment où elle monte l'escalier et échappe à la caméra de surveillance. Il appuie sur pause, recule le film et l'avance à nouveau, image par image, jusqu'à ce qu'on distingue bien son visage. Il fait une capture d'écran. *Elle n'a pas l'air de quelqu'un qui fait une insolation ou qui est victime d'un coup de fatigue. On croirait qu'elle a croisé Satan.*

Satisfait de l'image, il l'envoie à tous les propriétaires d'hôtels et d'auberges de Sienne, en souhaitant que la dame n'ait pas déjà quitté la ville. Il éteint son portable et retourne dans la chapelle, à la recherche de ce qu'elle aurait bien pu voir.

+++

Sur la *Piazza del Mercato*, deux bigotes assoiffées de bondieuseries discutent de ce qui se serait passé à Santa Maria. Elles ne parviennent pas à s'entendre ; l'une affirme qu'on aurait vu une touriste obèse sortir de la chapelle affligée de stigmates dans les paumes, alors que l'autre prétend que ce serait une jeune fille mince, d'une beauté exceptionnelle, qu'on aurait aperçue alors qu'elle parlait l'araméen, la tête encerclée d'un halo, telle une réincarnation de la Vierge Marie. La première, incrédule, la met en garde contre pareil blasphème en se signant puis en embrassant la médaille de sainte Catherine de Sienne qu'elle porte au cou.

Elles décident d'un commun accord que la vraie version des faits ne changera rien ; l'important, c'est de prier, de prier, et de prier encore. Cette civilisation ingrate et décadente du 21e siècle a besoin qu'on lui rappelle que Dieu existe ; un miracle n'est jamais de trop. *Puisse le monde enfin retrouver la foi et comprendre dans son cœur et dans son âme que l'Éternel est le créateur et le maître absolu de toute chose.*

Elles remettent leurs emplettes à plus tard et s'engouffrent dans l'église à proximité. Et qu'on t'allume des cierges, et qu'on chante tes louanges, et qu'on s'abîme les genoux pour un paradis à la fin de nos jours. *In nomine Patris et Filii et Spiritus Sancti. Amen.*

+++

Nathalie s'amuse de l'air incrédule de Laura, plantée devant le crucifix, l'observant de près, se reculant, croisant les bras, se rapprochant à nouveau pour en voir tous les détails.

— C'est le même.

Nathalie acquiesce.

— Alors quoi ? C'est la preuve que Dieu existe ? On va devoir faire comme mon frère et lui consacrer notre vie ? On entre chez les sœurs ?

Nathalie s'esclaffe et lui confie que, pour sa part, rien n'a changé. Toujours pas d'illumination mystique, de crise de foi ou n'importe quoi d'autre. Aucune envie d'épouser le Seigneur ne lui est encore venue. Accepter qu'un évènement soit inexplicable, passe encore, mais croire à une intervention divine, là, non, faudrait pas charrier. Laura se jette à genoux devant la croix et, joignant les mains, d'une voix dramatique et chevrotante, récite des prières en italien sous les éclats de rire de Nathalie. *Gloria al Padre e al Figlio e allo Spirito Santo, amen !*

On cogne à la porte. Nathalie ouvre pendant que Laura se relève. *Signor Cornetto* les salue, plié en deux comme à son habitude, une lueur triste dans les yeux. Il parle lentement, d'une voix douce. Laura s'approche pendant que Nathalie, sans l'écouter, explique que ce cinglé est passé plus tôt le matin et lui a fait des avances sexuelles et des gestes obscènes. Elle interrompt ses explications en voyant l'air honteux de Laura.

— Quand je suis partie, hier soir, je l'ai croisé en sortant. On a jasé quelques minutes et, euh, je lui ai peut-être un peu vaguement dit que t'avais vu Jésus bouger la tête dans la chapelle de Santa Maria.

Nathalie s'étonne. Grimace de Laura.

— Je suis désolée ! J'étais bourrée !

Les deux regardent Giovanni Cornetto, qui parle sans faire de pause et qui prend confiance en lui en voyant qu'on ne lui claque pas la porte au visage.

— Et tu comprends ce qu'il veut ?

Laura hoche la tête, et, embarrassée, comme pour anticiper sa réaction, la regarde un petit moment avant de lui dire :

— Il aimerait que tu le guérisses.

+++

Gianluca retire de sa bouche la paille qu'il mâchouille depuis une heure et demande une autre boisson gazeuse. Il jette un regard circulaire sur *Il Campo* et retient un rire satisfait en voyant les deux jeunes pickpockets, désœuvrés à cette heure où peu de touristes se baladent.

Ils ne semblent pas décontenancés outre mesure de l'absence du troisième complice de la bande, porté disparu depuis quatre jours. Le vol est sans doute plus difficile, mais les profits sont meilleurs. Probablement qu'ils espèrent seulement qu'il ne s'est pas fait pincer par la police et n'ira pas les dénoncer, sous la torture ou une promesse d'immunité.

Gianluca secoue la tête et replonge dans sa grosse Bible.

> ***Il monta de là à Béthel; et comme il cheminait à la montée, des petits garçons sortirent de la ville, et se moquèrent de lui. Ils lui disaient: Monte, chauve! Monte, chauve! Il se retourna pour les regarder, et il les maudit au nom de l'Éternel. Alors deux ours sortirent de la forêt, et déchirèrent quarante-deux de ces enfants[3].***

Souvent, il se demande pourquoi Dieu ne règle plus les choses aussi simplement, pourquoi il le laisse s'occuper de tout lui-même. Gianluca ne peut être partout à la fois, malheureusement, et n'oserait jamais exiger de l'Éternel qu'il lui offre le don d'ubiquité. Mais, tout de même, ce serait vraiment plus pratique.

+++

Un courriel du père Pio. Choquée, Flora Cornetto lit d'abord ses autres messages avant de regarder ce qu'il peut bien lui vouloir. Mais, incapable de se concentrer sur les demandes de réservation des futurs clients, elle retourne au message de ce pervers, soi-disant au service de Dieu, transféré de ville en ville, d'une paroisse à l'autre chaque fois que la nouvelle d'un de ses scandales sexuels se répand, évidemment couvert par l'Église, qui protège l'imposteur et le vicelard pour peu qu'il reste dévoué et qu'il se consacre à Dieu de temps à autre, entre deux péchés. C'est comme ça, ici: ces mains qui vous offrent l'hostie ont souvent fouissé sous les jupes. Toi, t'avales et tu fermes ta gueule.

---

3. 2 Rois, 2, 23-24

La première fois qu'elle a eu affaire à lui, il y a plus de trente ans, c'était à Florence. Dans l'intimité du confessionnal, elle avait avoué son désir de rester célibataire, plus attirée par les voyages et la vie volage d'un amant à un autre que par l'idée de se trouver un mari et de se cloîtrer à la maison pour élever des marmots. En guise de pénitence, le père Pio était entré dans sa cabine, avait refermé le rideau derrière lui et relevé sa soutane. Sous le poil abondant, un pénis veineux, énorme, déjà en semi-érection, pendait devant une Flora stupéfaite. Voyant qu'elle n'avait pas l'air de comprendre ce qu'il attendait d'elle, le prêtre lui avait pris la tête par-derrière pour lui coller sa queue au visage et la lui frotter sur la bouche. *Succi, ingoi*, suce, avale, avait-il senti le besoin de préciser. Elle était sortie du confessionnal en courant et avait quitté Florence peu de temps après. Les voies de Dieu sont impénétrables et, vraiment, Il teste la foi de ses disciples de toutes les façons imaginables.

Le but du courriel la rassure; ce n'est qu'un message impersonnel envoyé à un grand nombre de personnes. Le père Pio cherche à retrouver une touriste qui a visité l'hôpital Santa Maria della Scala. Sans doute une pauvre femme à qui il a essayé de pousser sa vieille queue entre les fesses et dont il souhaite acheter le silence.

Juste avant de supprimer le courriel, elle jette un œil à la nouvelle victime de ce maniaque. Elle a à peine le temps de se remettre de sa surprise que son frère entre dans le bureau, sans frapper, comme d'habitude. Il sourit à pleines dents.

Flora se lève en faisant tomber sa chaise. Étonnée, heureuse, confuse, elle laisse échapper des jurons qu'elle n'avait pas prononcés depuis longtemps. Son frère, devant elle, se tient droit comme un « i ».

+++

Les deux sont sorties de la villa à la hâte, sans faire de bruit et sans attendre le déjeuner. De retour dans le bistrot de la rue Santa Caterina où elle était un peu plus tôt, Laura leur a commandé des tartines, de la confiture faite maison et de grands bols de café au lait.

Laura joue machinalement avec un sachet de sucre et observe Nathalie avec des yeux écarquillés, incapable d'émettre le moindre commentaire. La scène à laquelle elle vient d'assister la laisse perplexe. Il lui a toujours semblé que les gens qui affirment être témoins de miracles sont des exaltés désireux de montrer que Dieu est un ami proche, tandis que ni elle ni Nathalie n'ont quelque chose à y gagner.

— Arrête de me regarder comme ça, tu me gênes !

Marianna dépose devant elles la corbeille de pain, la confiture et les cafés, et fait un clin d'œil à Laura qui lui sourit en retour. Elle attend que Marianna soit retournée derrière son comptoir avant de reprendre la conversation.

— Tu l'as guéri, tu te rends compte ? Tu lui as fait l'imposition des mains et tu l'as guéri !

— Wo, minute ! Tout ce que j'ai fait, c'est le pousser un peu pour qu'il sorte de la chambre !

— Ça fait dix ans qu'il marche plié en deux. Toi tu lui touches les reins et voilà qu'il se relève !

n'en savez rien, que vous n'êtes qu'un instrument de Dieu, un transmetteur, qu'il passe par vous pour accomplir ses miracles.

Devant un vieux miroir dépoli, dans le cabanon au fond de la cour de la maison, Gianluca constate que ses mouvements gagnent en fluidité. Il ne l'a jamais exécuté devant public mais, sait-on jamais, ce numéro peut toujours servir. Que serait la religion sans un peu de magie?

+++

Flora Cornetto n'est pas certaine de tout comprendre ce qui s'est passé. Ça fait beaucoup d'informations à assimiler d'un coup, et tout le monde parle en même temps: son frère, debout bien droit, la questionne sur le courriel du père Pio tandis qu'elle fait des appels à la famille et aux amis pour leur apprendre l'heureuse nouvelle, qui se propage très vite dans Sienne. Un miracle a eu lieu à la villa Cornetto, et toute la ville sera bientôt au courant.

Ce matin-là, les clients de la villa n'ont pas eu de déjeuner devant leur porte. Ceux qui entrent dans le bureau pour s'en plaindre retournent vite à leur chambre, s'emparent de leur appareil photo et redescendent les marches deux par deux pour photographier le miraculé sous tous les angles. Il prend la pose avec plaisir, gratifie même les photographes amateurs d'un sourire, tandis que sa sœur se demande s'il n'y aurait pas moyen de faire un peu d'argent avec ça. *Peut-être en l'installant sous un petit chapiteau dans le jardin et en demandant un prix d'entrée? Et la touriste guérisseuse! Il y a moyen de faire une fortune avec son talent! Elle est où, celle-là, en passant?*

Nathalie ne sait pas quoi dire pour sa défense. Il est vrai que, vu sous cet angle, ça a l'air un peu miraculeux, tout ça. Elle hausse les épaules et boit son café tandis que Laura en rajoute, comme si ça pouvait elle-même l'aider à croire ce qui vient de se passer.

Marianna aimerait bien entendre ce qu'elles se racontent, mais Laura et Nathalie sont assises trop loin d'elle pour que ce soit audible. Elles ont l'air louche, ces deux-là, avec leurs regards furtifs et leur conversation à voix basse.

+++

Dans la petite chapelle au sous-sol de l'hôpital, *padre* Pio déplace un projecteur et prend une autre photo du crucifix. Il branche l'appareil dans son ordinateur portable, télécharge la photo et l'examine en détail. Il compare avec un Polaroid daté de 1995, à l'époque des rénovations, pris sous le même angle. Il gratte machinalement sa longue barbe et grogne de contentement. Cette fois, oui, avec cette lumière presque identique sur les deux clichés, avec l'ombre rien qu'un peu plus longue, on pourrait croire que l'inclinaison de la tête a changé. Un Christ qui bouge la tête, conforme à ce que la touriste est censée avoir vu, selon une information qui lui a été transmise par un enfant de chœur qui l'a entendu de sa mère qui l'a entendu d'un voisin qui l'a entendu d'un de ses amis qui logerait au même endroit que cette dame et qui prétend l'avoir entendu de la bouche même d'un des propriétaires. *Padre* Pio n'est pas du genre à s'embarrasser des détails; la source des Évangiles est encore plus nébuleuse et ça ne l'a pas empêché d'y consacrer sa vie.

Il retourne au presbytère, numérise le Polaroid et envoie les deux fichiers à la Commission des Miracles du

Vatican qui, l'a-t-on prévenu, attend déjà son courriel avec impatience. Le père Pio espérait un évènement de ce genre depuis plus de quarante ans. Il est enfin à la bonne place au bon moment. Rien qu'à voir ce qu'est devenue Lourdes, passée de banale ville de campagne à lieu de pèlerinage, il devine bien les retombées qu'un miracle reconnu par le Vatican pourrait avoir ici: ils sont six millions de pèlerins à visiter Lourdes chaque année.

Le père Pio a déjà une idée du logo à mettre sur les bouteilles d'eau miraculeuse, qu'il pourrait embouteiller à même les robinets de l'hôpital et revendre au prix d'un alcool rare et précieux.

Ne reste plus qu'à retrouver cette dame afin de s'assurer qu'elle racontera aux médias la version des faits que lui veut bien leur faire entendre. Ce serait dommage d'avoir à embaucher une actrice pour jouer son rôle et, surtout, plus risqué. *Tout de même, ça aurait été plus commode si elle avait été Siennoise. Elle aurait pu être plus jolie aussi, mais ça m'évitera peut-être de me mettre les mains là où il ne faut pas. Si Dieu, dans toute sa bonté miséricordieuse, ferme les yeux quand je tripote à l'occasion une de ses brebis dans le confessionnal, il sera certainement moins clément si je lui souille celle-là.*

+++

C'est qu'il ne s'est rien passé depuis longtemps, à Sienne. Quelques statues trafiquées de la Sainte Vierge pleurant de l'huile ou du sang de cochon, une dizaine de photos avec de la poussière dans l'objectif censée représenter des anges, la routine. Rien qui n'ait alimenté les rumeurs plus que quelques jours.

Le cas le plus excitant était le petit Francisco Giacometti: deux cornes lui étaient poussées sur le front, et on l'avait joliment surnommé «Le fils de la bête». Le père Pio souhaitait qu'il meure au plus vite; ça aurait fait joli, à l'église, le crâne du petit Francisco exposé avec la notice «à Sienne est mort l'antéchrist» gravée sur une plaque en or. Mais ce petit salopiaud avait fini par se faire opérer à Rome par un chirurgien spécialisé, pour qui retirer des excroissances de kératine n'était qu'une opération mineure. Un peu de radiothérapie avait clos le traitement, en plus de tuer tout l'aspect religieux et surnaturel de l'affaire. Foutus médecins.

C'était d'autant plus dommage que le petit Francisco avait trouvé le moyen de se faire rouler dessus par un camion de livraison d'électroménagers quelques mois plus tard. Sa dépouille, bien que salement abîmée, avait le front immaculé. Un vrai gaspillage.

+++

Gianluca a lu tout ce qu'il a besoin de savoir sur Internet et en est maintenant aux travaux pratiques. Pour faire une opération chirurgicale sans cicatrice et faire croire à vos dons de guérisseur, vous aurez besoin d'un morceau de viande crue, caché dans une poche étanche sous votre tablier, ainsi qu'une capsule de faux sang cachée dans la paume de la main. Appuyez solidement sur le ventre du «patient» avec votre ongle tout en pressant la capsule pour en faire sortir le liquide; la griffure fera croire à une incision. Posez l'autre main, dans laquelle vous avez maintenant la viande, sur la plaie. Extrayez le morceau de viande, la «tumeur», en ayant l'air de peiner sous l'effort. Agitez la tumeur sous les yeux de votre public ébahi et, si jamais on vous demande comment vous faites, prétendez que vous

Flora monte à l'étage, cogne et entre dans la chambre de Nathalie sans se gêner. Elle regarde dans la salle de bain, se rend à la fenêtre pour inspecter le jardin: sa poule aux œufs d'or n'y est pas.

+++

Assis au comptoir, deux jeunes professionnels en complets bien taillés sirotent des espressos. Le plus grand des deux éternue et se mouche avec précaution dans un mouchoir de papier qui a déjà servi de trop nombreuses fois. Il le remet dans sa poche, l'air exaspéré. Laura l'observe, puis fait un signe de tête amusé à Nathalie, qui ne comprend pas ce qu'elle essaie de lui dire. L'homme éternue à nouveau et sort son vieux mouchoir.

— Tu devrais essayer de le guérir!

— Arrête! J'ai guéri personne! Et, à supposer que j'aie des dons de guérisseuse, je suis pas sûre que ça marche avec le rhume!

— Essaie!

Nathalie soupire puis, amusée, pointe ses doigts en direction de l'homme et les agite en murmurant une formule magique. «Abracadabraaaaaa...» Les deux hommes paient et sortent du café. L'enrhumé s'arrête dans la rue, se penche, éternue deux fois, secoue la tête d'un air découragé et rejoint son collègue. Laura hausse les épaules.

— Raté!

Les deux pouffent de rire. Nathalie se détend et la conversation se fait légère. Elles tentent de minimiser les drôles d'évènements des derniers jours, et Laura souhaite à

Nathalie que la suite de ses vacances soit plus tranquille, même si elle en doute. Elle ne sait pas trop comment lui expliquer à quel point les potins voyagent vite dans une petite ville comme Sienne, surtout lorsqu'ils sont de nature religieuse. Du religieux, les Siennois n'en ont jamais assez. Elle lui suggérerait bien de filer par le prochain avion, mais elle est bien trop curieuse de voir jusqu'où tout ça ira.

+++

Zerbino roupille devant la porte de la villa Cornetto, couché sur le côté, la tête appuyée sur ses pattes d'en avant. Beaucoup d'agitation dans la villa aujourd'hui, des choses étranges, un de ses maîtres qui vient de grandir d'un coup, on est plus tranquille ici, dehors, à se laisser abrutir par le soleil. Une odeur désagréable lui passe à portée de museau. Il gémit et tourne la tête de l'autre côté. Ça se rapproche. Une odeur pénétrante, fétide comme celle de la mort. Il relève la tête et, en suivant la brise, tente de trouver d'où vient ce parfum franchement dérangeant. Ça se rapproche toujours. Il entend maintenant des bruits de pas. Il grogne. Il montre les dents, se lève et descend les quelques marches à pas lents, tandis qu'une forme noire s'arrête à l'entrée de la villa.

Dès que l'homme pousse la barrière et tente d'entrer, Zerbino est gagné par une fureur inédite. Il veut protéger ses maîtres, il veut tuer, arracher la gorge de l'intrus. Il court et aboie, une lueur meurtrière dans les yeux, et se heurte à la grille que l'homme a tout juste eu le temps de refermer. Zerbino tente de mordre la main qui dépasse, il saute mais c'est trop tard, l'homme en noir vient de lâcher la grille et reste là, les mains dans les airs, figé par la peur. Zerbino aboie de plus belle lorsque ses maîtres ouvrent la porte pour venir voir ce qui se passe.

Il aimerait leur montrer à quel point il fait bien son travail de gardien, et trouve dommage de n'avoir pas une main arrachée à leur rapporter.

À demi caché par une colonne, le père Pio observe les propriétaires de la villa. Leurs regards affiche la même haine que les yeux de leur saleté de chien. Il repart dans la direction d'où il est venu en trottinant, en souhaitant très fort ne pas entendre la grille s'ouvrir. *J'ai rêvé ça ou Giovanni Cornetto se tenait debout?* Il ne prend pas la peine de se retourner pour en avoir la confirmation. *Si c'est vrai que la touriste que je cherche loge ici, je crois que je vais devoir trouver un autre moyen d'entrer en contact avec elle.*

Zerbino s'approche de ses maîtres et récolte ce qu'il souhaitait : des caresses et des petits mots d'approbation. L'odeur de la mort s'éloigne, le chien retourne à son poste et s'allonge pour se reposer de cette journée beaucoup plus chargée qu'à l'habitude. Même s'il n'ose pas en parler, il considère que tout ce travail mériterait bien un biscuit.

+++

Gianluca ne voit arriver le père Pio qu'au dernier moment, alors qu'il s'avance entre les tables de la terrasse du café. Il retire ses pieds de la chaise qui lui fait face pour le laisser s'asseoir et ferme son calepin de notes d'un geste rapide.

— Déjà de retour ?

Le curé lui explique rapidement ce qui s'est passé. Il se doutait bien qu'il serait mal reçu, mais ne s'attendait pas à devoir repartir au pas de course, comme un voleur, sans même avoir eu la chance de poser une ou deux questions. Il reste vague sur les raisons de ce différend avec la propriétaire du *Bed and Breakfast*, gesticule en regardant par terre et raconte une histoire qu'il invente sans doute à mesure, passant vite sur les détails pour insister sur les grands thèmes : les gens ne respectent plus l'autorité religieuse, n'ont plus de valeurs morales et ne savent pas dresser leurs chiens ; le chaos et la noirceur pèsent sur ce monde et mes sandales me font mal aux pieds quand j'essaie de courir.

Padre Pio remercie Gianluca pour son aide et ce dernier lui promet de le mettre au courant dès qu'il verra sa sœur avec la touriste ; ça ne devrait pas être difficile, les deux sont souvent ensemble. Reconnaissant, le prêtre prend congé et traverse la *Piazza del Campo* en boitant plus que nécessaire. Attirer la pitié est sa seconde nature.

Gianluca le regarde s'éloigner avec un sourire en coin ; il entend bien découvrir le lien entre Pio et la propriétaire de la villa. Il a toujours trouvé que cet homme était louche, et il n'aime pas quand on lui ment. Oh que non. Ça le rend agressif et violent, et même la prière ne réussit pas toujours à le calmer. Si même les prêtres ne respectent plus les commandements de l'Évangile, à qui peut-on se fier ?

+++

Elle est gentille, Laura. Elle voudrait changer les idées à Nathalie, qui a de la difficulté à gérer toutes les bizarreries qui déboulent dans sa vie. Elle pose sa question en toute candeur.

— Pourquoi t'es célibataire ?

Trouver la véritable raison oblige Nathalie à fouiller dans tant de souvenirs, de mésaventures et de déceptions qu'elle ne saurait par où commencer. Laura, avec son manque d'expérience, croit peut-être qu'il suffit de vouloir être en couple pour trouver quelqu'un. Elle qui est jeune, belle, fringante et pétillante comprendrait sans doute mal qu'après trente ans tout se complique, que non seulement le choix des candidats libres se réduit, mais qu'on devient aussi beaucoup plus exigeante à cause des échecs précédents, des rencontres qui ne mènent à rien, des hommes qui n'ont toujours pas oublié la femme qui les a quittés, de ceux qui ne sont pas capables de s'engager, pas plus dans la trentaine qu'ils l'étaient dans la vingtaine. Rendue à son âge, le marché du célibat est surtout constitué de détraqués sexuels, de laiderons vulgaires et de musclés incultes. De toute façon, que peut-on espérer de l'amour quand on se trouve ordinaire et qu'on a l'impression de n'avoir rien à offrir ?

Plutôt que de se mettre à pleurer, comme elle en a envie chaque fois qu'on lui rappelle que son cœur est mort, Nathalie se contente d'un : « C'est moins pire de s'ennuyer toute seule que de s'ennuyer en couple. » En vérité, la vie de couple est un concept si lointain qu'elle ne se souvient même pas ce qu'elle y trouvait d'ennuyant.

Pour éviter d'avoir à s'expliquer, elle retourne la question et demande à Laura si elle a un copain. Elle aussi réfléchit un long moment avant de répondre.

— J'évite de m'engager pour l'instant. Je préfère laisser mes options ouvertes.

Nathalie sent son malaise, comprend que Laura ne dit pas tout à fait la vérité mais, puisque l'amour et l'engagement sont des sujets qui les troublent toutes les deux, elle passe à autre chose sans transition.

— La température l'hiver, en Italie, ça ressemble à quoi ?

+++

Luis de Stefano ne marche plus depuis son accident de voiture. Ses jambes semblaient pourtant en bon état quand les pompiers l'ont extirpé de sa vieille Fiat Ritmo mais, non, il ne parvenait plus à se tenir debout. Les spécialistes avaient conclu à un choc post-traumatique, la bonne nouvelle étant qu'il pourrait peut-être retrouver un jour l'usage de ses jambes. Mais il ne s'était jamais remis à marcher.

Sa femme s'était résignée à vendre leur chaleureuse maison de deux étages à la campagne pour revenir au cœur de Sienne, dans un appartement plus commode, au rez-de-chaussée. Elle noyait sa tristesse dans le limoncello fait maison mais, pour Luis, c'était plutôt un changement heureux : il retrouvait ses amis du *caffè Bandini*, de vieux pantouflards qui l'avaient visité à la campagne beaucoup moins souvent qu'ils l'avaient promis. Luis avait donc repris son habitude de traînasser chez Bandini, tandis que sa femme lisait des photoromans à la maison et regrettait chaque jour, dès son réveil, le grand jardin qu'elle avait si bien entretenu pendant toutes ces années et les différentes espèces d'oiseaux qui le visitaient, particulièrement ce couple de huppes fasciées qui venaient s'ébrouer dans les fontaines. La vie est ainsi faite, se disait-elle sans entrain, réfrénant ses envies d'allumer le gaz et de se faire exploser la gueule.

+++

C'est Luis qui, par la vitrine, remarque Giovanni Cornetto qui s'amène d'un pas vif en direction du café. Il aimerait informer les autres de ce qu'il voit, mais la surprise le laisse bouche bée. Le dos bien droit, sourire aux lèvres, Giovanni entre et salue les habitués d'un grand geste de la main, comme si rien ne s'était jamais passé. Il commande un espresso et deux biscottis à Sergio, qui ne le quitte pas des yeux en préparant le café. Le silence lourd qui a suivi son entrée n'a duré qu'un instant; on se presse maintenant autour de lui en le mitraillant de questions, et tout le monde parle un peu en même temps.

Luis l'avait surnommé « le boomerang cassé », un peu parce qu'il en avait adopté la forme lors de sa chute dans l'escalier de la villa, un peu parce qu'il n'était jamais revenu au café depuis, préférant rester enfermé et laisser sa sœur Flora faire les courses. Le boomerang est finalement de retour.

Assis dans sa chaise roulante, Luis demeure silencieux. Il observe la scène et attend que le brouhaha cesse avant d'aller parler à son vieil ami. De tous les gens attablés au café ce jour-là, il est certainement le plus impatient de connaître le secret de cette guérison.

+++

Le tonfa se manie de différentes façons. Il peut aussi bien servir d'arme offensive ou défensive. Il est important de ne pas lésiner sur les heures de pratique, et, surtout, de bien comprendre que sans une parfaite maîtrise des mouvements de base, les mouvements plus complexes ne seront

jamais fluides. Un mouvement simple accompli lentement mais avec précision pourra, avec de l'entraînement, se transformer en un mouvement rapide extrêmement réussi. Le débutant devrait se tenir éloigné des objets fragiles tels que les fenêtres, les bibelots et les miroirs. Il faut aussi garder en tête que les mouvements à accomplir seront plus précis si vous êtes réchauffé, détendu et que vous n'oubliez pas de bien respirer[4].

Parmi les nombreux bienfaits de l'activité physique, soulignons qu'une dépense énergétique significative dans un sport contribue à éloigner les pensées sexuelles obsédantes puisque le corps, repu, a trouvé ailleurs sa façon d'exulter.

Milo n'en est pas conscient mais, chaque fois qu'il manie son tonfa devant le miroir, il en oublie ce fantasme obsédant de Laura, à quatre pattes par-dessus lui, qui dézippe son pantalon pour lui caresser la queue et se l'enfoncer dans la bouche, entre ses lèvres bien serrées, pendant que lui, en 69, couché sur le dos, lui lèche la chatte et le cul à grands coups de langue. C'est cette vision, sans doute, qui lui fait perdre ses moyens chaque fois qu'il est devant elle et qu'il tente de lui lancer une invitation quelconque. Aller au cinéma, au restaurant, faire une balade à vélo, toutes des possibilités qui ne se concrétiseront pas tant que l'angoisse le laissera muet en présence de Laura. Il est pourtant volubile à son endroit quand il est seul à la maison et qu'il se masturbe sous la douche, y allant d'un « T'aimerais bouffer ma belle grosse bite, Laura Baggio ? » par-ci et d'un « Oh, oui, Laura, oui, oui, oui, je vais gicler sur tes seins ! » par-là.

Il convient de noter que le pénis de Milo n'est pas aussi gros qu'il se l'imagine.

---

4. *Les férus de la matraque*, éditions du Jouvenceau, 1983.

+++

Laura mord dans sa tartine, avale sa dernière bouchée en vitesse et jette la croûte aux pigeons par la vitrine ouverte. Avant de quitter Nathalie pour se rendre au travail, elle lui suggère d'aller visiter la pinacothèque, puisqu'elle a vu pas mal tout le reste.

Nathalie la regarde s'éloigner puis feuillette un de ses guides. Elle tombe rapidement sur la page qui parle de l'institution en question.

> ***Pinaconeta Nazionale: une riche collection de peintures siennoises, d'une stylistique héritée de la tradition byzantine, en contraste avec sa rivale florentine.***

Ah bon. Elle n'a aucune idée de ce que peut bien être cette tradition, mais elle présume qu'elle y verra beaucoup d'anges, de petits Jésus et de Vierges au regard vide. Elle boit son troisième café sans se presser, en observant la faune qui passe dans la rue.

+++

La pinacothèque s'avère aussi emmerdante qu'elle se l'imaginait. Tout de même, une toile de Sassetta se démarque nettement des habituelles naissances et morts du Christ. *Saint Antoine battu par les diables*, qui représente assez bien ce que le titre suggère, lui apporte une grande satisfaction. C'est qu'elle aussi commence à avoir envie d'empoigner un bâton et de frapper sur tout ce qui porte une auréole. La *Lucie de Syracuse*, qui tient une coupe contenant une paire d'yeux avec autant de détachement que si c'était un *banana split*, l'amuse aussi. Nathalie évite tout ce qui ressemble de près ou de loin à Jésus sur la croix, elle n'a aucune envie de croiser à nouveau son regard. C'est tout de même un souvenir de plus en plus diffus, elle pourrait presque se convaincre qu'elle a rêvé tout ça, si ce n'était de ce serrement qui la prend au ventre chaque fois qu'elle y pense.

Elle ressent un autre genre de malaise alors qu'elle sort du musée. Nathalie a toujours été de celles qu'on ne remarque pas. Timide, effacée, sans beauté particulière, elle fait partie des gens qui peuvent magasiner en passant sous l'œil rapace des vendeuses sans être importunée. Après toutes ces années dans l'ombre, l'impression qu'elle a soudain en marchant dans la rue est d'autant plus étonnante. Elle sent qu'on la regarde. Qu'on la dévisage, même. Qu'on parle d'elle. Les conversations s'arrêtent quand elle passe près des gens, puis reprennent dès qu'elle s'éloigne. Nathalie a besoin d'un verre. Elle lutte contre son réflexe naturel qui serait d'aller s'enfermer dans sa chambre pour le reste de la journée et s'installe à une terrasse discrète, un peu en retrait de la rue, d'où elle espère ne pas attirer l'attention.

— *Vino bianco, per favore.*

— *Un bicciere*?

— *No, no*, pas un verre, une bouteille, s'il vous plaît. *Tutti la bottiglia.*

Le serveur, ravi de rencontrer enfin une touriste qui s'efforce de parler sa langue, la félicite pour ses efforts et lui suggère un *Asti spumante*, un vin effervescent du Piémont, de la commune de *Santa Vittoria d'Alba*, se laisse-t-il aller à préciser, rien de moins que son lieu de naissance. Son envolée lyrique convainc Nathalie. Il fait beau, la vie est belle et les bulles, ça rend la tête légère. Elle acquiesce, une fois certaine qu'il ait terminé son laïus. *C'est bien là le problème quand on prend la peine de dire quelques mots dans leur langue,* pense-t-elle. *Ils se mettent ensuite à croire qu'on comprend ce qu'ils nous racontent.*

+++

L'*Asti spumante* s'avère délicieux. Elle est surprise en se versant le fond de la bouteille, qui remplit à peine la moitié de son verre. *Déjà ? Me semble que je viens à peine d'arriver !* Mais elle ne sait pas vraiment depuis combien de temps elle est là, ni quelle heure il peut bien être. Ni à quelle heure elle est arrivée, pour tout dire. Elle pouffe de rire, pense un moment se lever pour aller aux toilettes mais, avec ce soleil qui tape et son corps qui refuse de bouger, elle préfère remettre cette mission impossible à plus tard. Elle pouffe à nouveau, étonnée par son degré d'ébriété ; elle ne se souvient plus de la dernière fois que ça lui est arrivé, puis, oui, elle se souvient : c'était avec Laura, pas plus tard qu'hier.

Une pensée furtive la fait sourire : pour la première fois depuis son arrivée, elle a l'impression d'être en vacances. Elle pouffe une troisième fois, sans remarquer Ève et Daniel, les Québécois à qui elle a volé le livre de poche, qui changent de table pour s'éloigner parce qu'ils la trouvent bizarre. Elle cligne des yeux pour se réveiller un peu et, avec de grands gestes gauches, tente de remplir à nouveau sa coupe avec la bouteille vide. *Déjà ? Me semble que je viens à peine d'arriver !* Impression de déjà-vu. Elle pouffe.

+++

Pour une rare fois, Milo est présent à l'heure de fermeture du campanile. C'est donc lui qui s'est farci les cinq cent trois marches, aller-retour, pour s'assurer qu'il n'y a pas de touriste oublié au sommet ou, comme c'est déjà arrivé, un Américain obèse coincé dans un recoin étroit de l'escalier. Milo fait son rapport à Laura, qui l'écoute distraitement en rangeant les recettes de la journée dans le coffre-fort sous le comptoir. Elle se penche pour bien faire rentrer l'enveloppe jusqu'au fond, sans plier les genoux, elle ouvre un peu les jambes pour garder son équilibre, hop, voilà. Une autre longue journée qui se termine.

J'ai rêvé ça ou elle n'a pas de culottes? Réflexe habituel de toute personne qui passe trop de temps devant son ordinateur, la main droite de Milo cherche quelque chose dans l'air, machinalement, mais sa souris n'y est pas. Comme si c'était un clip, il voudrait reculer la scène de quelques secondes pour la revoir une nouvelle fois, et faire un arrêt sur image pour examiner les détails. Il n'a plus qu'un souvenir évanescent et un début d'érection comme preuves de ce qu'il vient d'entrevoir. *Oh bon sang, il faut que je pense à autre chose. Elle me regarde, je dois avoir l'air d'un demeuré, vite, vite, concentration… penser à maman, oui, c'est ça, c'est bien, maman qui fait des tartes, elle a chaud, de la sueur lui perle sur le front et sur sa fine moustache, elle sifflote un air de Renato Carosone, mon érection diminue… merci, maman!*

— Dis donc, ça va, toi?

Il s'arrache de ses pensées et lui montre le pouce en guise de réponse. Ça la rassure un peu, sans doute que la blancheur du visage de Milo est attribuable à l'effort physique qu'il vient d'accomplir.

Debout devant les présentoirs de cartes postales, Laura se penche pour en ramasser une qu'un touriste a laissé tomber par terre. Elle se souvient qu'elle n'a pas remis sa culotte, et se rend compte qu'elle vient peut-être de montrer ses fesses à Milo. Elle lisse sa minijupe en se tournant vers lui. Il est toujours aussi blême, mais il regarde dehors en se grattant la moustache. Rassurée, elle lui dit qu'elle a terminé ses tâches, qu'ils peuvent partir. Ils sortent et elle verrouille derrière eux.

Elle décide d'aller voir au Impero et au Metropolitan quels sont les films à l'affiche, avec un petit arrêt en chemin au McDonald's pour dévorer des croquettes de poulet. Inquiète, elle ouvre son sac pour se rassurer : *Ouf, elle est là.* Un instant, elle a cru avoir oublié sa culotte rose transparente sur le comptoir, près de la caisse enregistreuse. Elle serait morte de honte si Milo l'avait vue.

— À demain, Milo !

Il lui envoie la main et la regarde s'éloigner. *J'ai vu son cul, mon dieu, j'ai vu son cul, ses cuisses et ses fesses, j'ai tout vu, ses lèvres, sa fente, son anus, mon dieu, peut-être a-t-elle fait exprès ? Sa petite chatte si invitante, je ne sais pas comment j'ai fait pour me retenir de me jeter à genoux derrière elle et de la lécher, ça avait l'air si bon, je dois rentrer à la maison de toute urgence, garder cette image en tête pour me masturber, tenter de calmer mes envies d'elle, faire descendre la pression au plus vite, je vais devoir me branler au moins trois fois, mon dieu, Laura s'éloigne en se trémoussant le cul et elle n'a pas de culotte, si j'arrivais à penser à autre chose qu'à ma langue glissant entre ses fesses, je réussirais peut-être à l'inviter au cinéma. J'ai encore le temps, elle n'est pas si loin, je n'ai qu'à crier son nom, mais j'ai la gorge trop sèche pour émettre le moindre son, merde, merde, merde.*

+++

Le père Pio regarde pour une centième fois dans sa boîte de courriel. Cette fois, ça y est : un émissaire du Vatican lui a répondu. Il prend ses lunettes de lecture posées sur son bureau pour bien lire la réponse et en savourer le moindre mot.

À : Salvo Pio
De : Ernesto Capucci

Très cher, laissez-moi d'abord vous remercier pour votre courriel, qui traduit très bien le flot d'enthousiasme que vous avez eu en apprenant qu'un miracle s'était peut-être produit dans votre commune. Nous écrire sans plus attendre était la bonne chose à faire puisque, comme vous le savez sans doute, seules les analyses de nos spécialistes au Saint-Siège sont reconnues. Aucune autre autorité ne pourrait donc se déclarer apte à juger un miracle authentique.

Ceci étant, je ne voudrais pas être rude, mais les photos que vous nous avez fait parvenir ne nous apprennent absolument rien. La même statue vue sous deux éclairages différents, cela ne constitue pas un dossier. Selon vos dires, la dame qui aurait été témoin du phénomène était seule et n'a pas encore fait l'objet d'un examen psychiatrique. Or, sans témoin oculaire, n'importe qui pourrait prétendre avoir vu une apparition divine.

Il faudrait donc éviter de nous soumettre n'importe quoi. Cette dame n'a rien d'une sainte. Le Saint-Père Benoit XVI préfère aller à l'encontre de la canonisation à tout-va, à l'inverse de ce que nous avons connu à l'époque de Jean-Paul II. Nous engageons les procédures surtout quand nous subissons les pressions de la Congrégation pour la cause des Saints, et le geste est généralement pour permettre la canonisation, comme dans le cas récent du frère André. L'histoire était bonne : un enfant est sorti du coma alors qu'un membre de sa

famille priait à l'Oratoire Saint-Joseph, fondé par le frère André. Un heureux hasard que nous avons utilisé pour donner un peu de souffle à notre institution qui, au Québec, est en constante baisse de popularité et avait bien besoin d'un nouveau saint.

La science peut maintenant expliquer bien des choses, et les nombreuses accusations de charlatanismes face aux apparitions surnaturelles nuisent trop souvent à l'Église. Notre Bureau des Constatations Médicales est rarement pris aux sérieux, malgré son nom. Nous ne sommes plus au temps de Bernadette Soubirous, où nous avions donné une grande publicité à l'évènement afin de rappeler les Français dans nos rangs. Ce qui fonctionnait bien au 19e siècle n'est plus pertinent aujourd'hui. Avec tous les scandales qui nous éclaboussent, une supercherie dévoilée au grand jour ne nous aiderait pas du tout à redorer notre image auprès de la population. Comprenez bien; je ne dis pas ici que cette dame qui aurait échangé des regards avec le Christ est malhonnête. Je dis simplement que, faute de pouvoir documenter cet évènement exceptionnel avec des preuves tangibles, mieux vaut en rester là. Vous avez la chance de vivre dans cette ville d'une splendide beauté qu'est Sienne, et le respect religieux qu'elle inspire ne saurait être rehaussé par des vendeurs d'eau bénite postés aux coins des rues.

Bien à vous,
Ernesto Capucci
Commission des Miracles du Vatican

Avez-vous vraiment besoin d'imprimer ce courriel? Pensez à nos forêts. Ce message électronique est de nature confidentielle et privilégiée. Si vous l'avez reçu par erreur, veuillez nous en aviser par courrier électronique immédiatement.

Salvo Pio donne des coups de pied sur son bureau, le visage déformé par la rage. Il se lève et frappe de toutes ses forces sa vieille chaise, qui se fracasse sur un mur en laissant deux grands trous. Toujours pas calmé, il hurle et balance son MacBook dans une fenêtre qui explose sous le choc.

Le temps qu'il recouvre ses esprits et comprenne la gaffe qu'il vient de faire, il est déjà trop tard: il se penche pour regarder les dégâts, un étage plus bas, et ne voit qu'une mosaïque de verre cassé autour d'une pile de sacs à ordures. L'ordinateur n'y est déjà plus. *Santa merda.*

+++

Avant de se mettre au lit, Nathalie pointe ses deux majeurs en direction du crucifix et lui fait la grimace. Sur sa lancée, avec un enthousiasme qu'elle ne se connaissait pas, elle baisse son pyjama et lui montre son cul. Jésus peut bien le reluquer toute la nuit en s'astiquant la bite, elle s'en fout. Elle se glisse sous les couvertures en toute insouciance, sans prendre la peine de décrocher le crucifix, de le détruire ou d'y mettre le feu; après tout, c'est moins terrifiant de le laisser là que de le jeter par la fenêtre pour le retrouver à sa position d'origine en se réveillant le matin.

Elle essaie de se rappeler si elle s'est passé la soie dentaire ou non, mais ne s'en souvient plus. Elle décide qu'elle s'en fout. Elle hausse les épaules et prend le roman de Murakami sur la table de nuit, pour en lire deux fois le même court paragraphe avant de s'endormir, trop soûle pour se concentrer sur quoi que ce soit.

SAMEDI

À mi-chemin entre les rêves et l'éveil, elle croit d'abord que les bruits qu'elle entend proviennent de sa boutique de photographie, juste en dessous de son appartement. *Des voleurs… ils font du grabuge… mais qu'est-ce qui se passe?* Puis, elle émerge lentement du sommeil et retrouve ses repères. *Sienne, la villa, quel jour on est? Vendredi? Non, samedi… déjà dix heures?* L'alcool a bousculé ses habitudes, elle qui se lève tous les matins à sept heures, réveil ou pas.

Elle présume que ça doit être une famille d'Américains lourdauds qui descend l'escalier en faisant tout ce boucan mais, non, le bruit se rapproche, et ça parle italien. Le brouhaha s'est déplacé dans le petit salon adjacent à sa chambre. On semble y avoir déposé quelque chose de lourd.

Elle s'extirpe des couvertures dans lesquelles elle s'est empêtrée pendant la nuit, fouille dans sa trousse de toilette, repère les Advil extra-forts, s'en envoie deux dans la bouche et les avale avec une gorgée d'eau. *Je vais voir ou pas?* Elle soupire et se gratte la tête. Puisque les intrus ne semblent pas avoir l'intention de se taire, elle déverrouille délicatement sa porte et l'entrouvre.

Une dizaine de personnes. Des hommes, des femmes, vieux pour la plupart, massés autour d'un handicapé dans un fauteuil roulant. Sa petite investigation ne passe pas inaperçue puisqu'ils regardent tous dans sa direction en se donnant du coude. Un homme tape dans ses mains et tous les autres l'imitent. Des applaudissements. Pour elle. Prise de vertige, elle claque la porte et s'appuie dessus. Même à l'école, lors des pénibles examens oraux, lorsqu'il fallait lire sa composition devant tous les camarades de classe, elle ne se rappelle pas avoir été applaudie avec enthousiasme. Elle se souvient surtout de la grande Éthier, qui ne manquait jamais d'y aller d'un ronflement dès que Nathalie ouvrait la bouche.

Elle ignore ce qu'elle doit faire. Impossible de sortir par la fenêtre. Rester enfermée et attendre qu'ils partent serait ridicule. Elle tourne en rond un moment devant son lit, se ronge un ongle, et en vient à la conclusion qu'elle n'a pas le choix d'ouvrir et de leur demander ce qu'ils foutent là.

Elle ouvre. On l'applaudit plus bruyamment encore. Elle fait un pas dans le petit salon. Dix personnes autour d'elle, émues, les yeux larmoyants, contiennent à peine la joie qu'ils ont de la voir. Son malaise va grandissant, d'autant plus qu'elle s'aperçoit qu'elle n'est vêtue que de son pantalon de pyjama et d'un chandail usé qui laisse deviner ses aréoles. Elle aimerait retourner dans sa chambre pour enfiler des vêtements plus convenables mais on la pousse en douceur, on la prend par le bras, on l'emmène l'air de rien vers l'homme en fauteuil roulant.

Le peu qu'elle saisit de ce qu'on lui raconte, c'est qu'il s'appelle Luis de Stefano et qu'il ne marche plus. Il y a aussi un mot qu'elle comprend très bien, d'autant plus qu'ils le répètent souvent: *miracolo.* Elle secoue la tête, découragée. *Nous sommes au 21ᵉ siècle, et cette bande de débiles croit encore à la magie.* Elle jette un long regard sur l'assistance. Yeux implorants, mains jointes, ces gens ont mis tous leurs espoirs en elle. *Même si j'étais vraiment une guérisseuse, il faudrait être optimiste en maudit pour croire que je vais faire des miracles avant le premier café.*

Pressée de se débarrasser d'eux pour pouvoir déjeuner en paix, elle lève les mains en l'air, ferme les yeux un moment, les ouvre. Le silence est total. Son public, déjà conquis, retient son souffle. Elle claque des mains, un grand coup sec, dramatique, se frotte les paumes puis les pose sur les genoux de l'homme en prenant un air concentré. Elle se retient de dire « Abracadabra », ce qui la ferait éclater de rire et ruinerait le moment.

Luis de Stefano ferme les yeux et s'agite, son corps semble secoué par de violentes décharges électriques. Et puis il cesse de bouger. Il ouvre les yeux. Lentement, il pose ses mains tremblantes sur les accoudoirs du fauteuil roulant. Il pousse pour se soulever. Dès qu'il est assez haut pour pouvoir le lâcher, on lui retire son fauteuil.

Luis de Stefano est debout.

Nathalie sent qu'elle va s'effondrer sous l'émotion. Voyant son malaise, on l'aide à s'asseoir sur le divan de cuir et on s'écarte du chemin pour qu'elle puisse admirer le miracle. Son miracle.

Giovanni Cornetto s'approche de son vieil ami et ils se serrent dans les bras en pleurant de joie. Tout autour d'elle on se touche, on s'excite, et ce trop-plein d'émotion et d'amour l'étourdit. Elle se penche et vomit, devant un public qui ne s'y attendait pas, avant de s'évanouir, vidée de ses forces.

+++

Elle ouvre lentement un œil pour savoir où elle est. Voyant qu'on l'a étendue sur le divan du salon, son premier réflexe est de regarder par terre. Elle est soulagée de voir qu'on a ramassé son dégueulis pendant qu'elle était dans les vapes ; de cette façon, l'humiliation semble moins lourde à porter.

Même si elle ne comprend rien à ce qui s'est passé, elle ne peut nier que la guérison de Luis de Stefano a quelque chose d'émouvant. Ils sont tous réunis autour de lui. Le miraculé est debout, fier, arborant un sourire qui le rajeunit de dix ans.

En voyant qu'elle se réveille, ils cessent de bavarder et se rapprochent dans un silence respectueux. Ils lui épongent le front. Ils l'aident à se redresser. C'est à peine si elle a le temps de dire *caffè* que déjà on le lui donne. Elle espère avoir rêvé ça, mais il lui semble avoir entendu quelqu'un murmurer son nom, avec le mot « sainte » devant. *Comment je fais pour me débarrasser d'eux, maintenant ?*

Comme si Flora Cornetto lisait dans ses pensées, elle claque des mains et lance quelques ordres d'une voix ferme. Les gens hésitent mais, devant son insistance, ils se résignent à partir. Ils prennent tout de même soin de contempler

Nathalie une dernière fois afin de ne jamais oublier son visage. Cornetto sait y faire et en moins de deux minutes le cortège est dehors. Nathalie lui lance un *grazie* bien senti, ce qui semble être le signal pour qu'elle la rejoigne sur le divan afin que son frère puisse les prendre en photo. Elle se laisse faire et le gratifie même d'un large sourire. Giovanni Cornetto prend quelques clichés et pose l'appareil sur un buffet. Il met le retardateur, ce qui lui laisse dix bonnes secondes pour aller s'asseoir entre elles.

+++

Le samedi est la journée la plus achalandée au campanile. C'est le moment d'être alerte ; il faut s'occuper de la caisse, tenir le compte pour éviter de dépasser le maximum de visiteurs permis à la fois, évaluer le temps d'attente et parfois suggérer aux gens de revenir plus tard. Il faut aussi surveiller les caméras, les voleurs, les enfants qui bavent sur les cartes postales… heureusement qu'il y a un agent de sécurité en permanence avec elle la fin de semaine, sinon Laura n'y arriverait pas. Elle n'a même pas le temps de se perdre dans ses fantasmes devant les plus beaux visiteurs, encore moins de retirer sa culotte pour se caresser discrètement. Milo guide les touristes et répond à toutes les questions. Le samedi est le jour de la semaine qu'il préfère, parce qu'il peut reluquer Laura toute la journée et se perdre dans ses fantasmes : Laura dessus, Laura dessous, Laura partout.

Laura aperçoit Nathalie dans la foule et lui fait signe de s'approcher de son comptoir sans attendre.

— Allo ! Tu veux tout de même pas remonter dans la tour, dis ?

— Non, non, rassure-toi. J'ai pas envie que le ridicule finisse par me tuer. Je voulais juste savoir si t'as envie de manger avec moi ce soir ? Resto chinois ! J'ai encore un truc pas croyable à te raconter !

— Ouiiii ! Passe me prendre ! J'ai hâte de savoir !

Elles s'embrassent et se saluent pendant que quelques touristes qui ont pourtant toute la journée devant eux s'impatientent et poussent de gros soupirs pour faire avancer les choses.

Nathalie croise Milo en sortant ; non, décidément, elle n'aime pas les moustaches. Il la regarde partir en tapotant son tonfa. *Mais qu'est-ce qu'elle a à me dévisager, celle-là ?*

+++

Le réseau social a fait son œuvre. Nathalie est à peine revenue à elle que déjà les bigotes de la *Piazza del Mercato* ont questionné Giovanni Cornetto et Luis de Stefano comme il se doit – sans gêne et sans finesse – pour ensuite transmettre les informations et quelques ajouts de leur cru aux patrons des cafés, l'air de rien, sachant très bien la commotion qu'elles allaient causer. C'est un plaisir sans cesse renouvelé qu'elles prennent à lancer une nouvelle et à la voir revenir sous une forme différente, souvent améliorée, peaufinée, nourrie par l'imagination superstitieuse d'autres commères dans leur genre. Quand la vie est triste comme la mort, si proche, qui souffle son haleine fétide dans leurs vieux cous ridés, il est bénéfique de se distraire avec des passe-temps coquins.

+++

Ils sont passés à la villa Cornetto, évidemment. Puis ils ont fouillé la *Piazza del Campo*, la *Piazza del Mercato*, la gare, mais ils ne l'ont pas trouvée. Elle n'a dit à personne où elle allait. De fil en aiguille, ils ont su que Laura Baggio s'était liée d'amitié avec elle. Ils sont allés l'interroger, sans vouloir préciser pourquoi ils la cherchaient avec autant d'intérêt. Elle s'est bien gardée de leur dire qu'elle attendait Nathalie au campanile à la fin de sa journée. Ils sont repartis bredouilles, tous ces journalistes en quête d'une entrevue exclusive.

Depuis la guérison de Giovanni Cornetto, la rumeur se propageait que des miracles avaient lieu dans la ville mais personne n'avait la moindre information pertinente à publier dans les journaux.

C'est donc peu dire que d'affirmer que la visite de Flora Cornetto, son appareil photo à la main, a déclenché tout un émoi dans les bureaux du journal *La Sentinella.*

+++

Après sa visite à Laura, Nathalie a filé à la gare, décidée à fuir la ville pour la journée. Coup de chance, un autocar emmenait des touristes à San Gimignano pour un voyage organisé. Il restait des places, elle a donc pu monter avec eux un instant avant le départ.

Elle regarde dehors, perdue dans ses pensées, pendant que le guide touristique, un grand barbu maigrelet trop enthousiaste, vante les charmes de la Toscane en bégayant d'excitation. Elle tente de mettre de l'ordre dans ses idées ; elle refuse de croire qu'elle a un don, mais elle ne peut nier ce qui s'est passé. Elle presse ses mains sur les reins d'un arthritique et hop, il se décoince ; elle presse ses mains sur les genoux de l'autre, il se remet à marcher.

Elle examine ses doigts et ne leur trouve rien d'anormal. Elle dirige une de ses paumes vers le guide et se concentre très fort pour lui faire exploser le crâne, que ses yeux lui sortent des orbites et que sa cervelle se répande sur les fenêtres. Rien ne se passe. Il ne semble pas avoir le moindre mal de tête, ni nausée, ni étourdissement, il n'arrête même pas son laïus une seconde pour reprendre son souffle. Dommage.

Après une heure de route, l'autocar arrive à destination. Nathalie n'est pas plus avancée dans ses réflexions. Les voyageurs descendent et se regroupent autour du guide pour se faire expliquer le déroulement de la journée. Selon le dépliant qu'on leur a remis, chaque minute est comptée : il faut visiter ceci, ensuite cela, ensuite manger ici, acheter des souvenirs par-là, pause pipi une fois toutes les deux heures. Certaines personnes prennent des notes. Le barbu bègue ouvre un grand parapluie rouge.

— Il ne faut pas trop s'éloigner du grand parapluie rouge. Vous êtes perdus ? Cherchez le grand parapluie rouge. *The red umbrella. Ombrello rosso. Capisce ?*

Il se déplace à reculons, lentement, pour voir si son groupe a bien compris. Les touristes lui emboîtent le pas en se pilant sur les pieds.

Nathalie, qui ferme la marche, attend que le troupeau tourne au coin d'une rue pour revenir sur ses pas et filer dans une tout autre direction.

Liberté, rébellion, début d'un temps nouveau.

+++

Elle évite de regarder en l'air ; les campaniles l'écœurent et, ici, on ne voit que ça. Il y en a quatorze. Quatorze saletés de campaniles. Dans un de ses guides de voyages, elle peut lire qu'à une époque, il y en aurait même eu soixante-douze. Une façon toute phallique pour les familles d'exposer leur richesse et leur puissance : c'était à celui qui aurait le plus gros. Il y a de ces choses qui ne changent pas.

Elle se concentre plutôt sur son verre de vin et sur son guide de voyage, en portant parfois son attention sur les grappes de touristes abrutis par le soleil qui passent devant la terrasse du restaurant où elle est attablée et l'envient de pouvoir prendre son temps. Eux sont aux prises avec des guides qui ne leur accordent un moment de détente que si c'est prévu à l'horaire. Elle va même jusqu'à leur envoyer de grands sourires pour bien afficher son plaisir de ne rien faire.

Elle termine sa salade et commande un deuxième verre de Vernaccia, le vin blanc produit avec les vignes des environs. C'est une des choses qui la fascine de l'Italie : on n'a qu'à grimper au sommet d'un campanile, à supposer que ça nous intéresse, pour admirer les vignobles d'où proviennent les raisins qui se retrouvent dans les verres. De chez elle on voit plutôt la station d'essence, l'épicerie, le club vidéo et, en y regardant bien, le tronçon de la route sur lequel ses parents se sont tués.

Avec le vent qui la décoiffe et ses lunettes fumées achetées dans une des mille boutiques de souvenirs de la ville, elle a des airs de starlette en vacances. Elle n'est pas fâchée de ressembler un peu plus à une Italienne et un peu moins à une touriste grassouillette. Ça lui donne même envie de rafraîchir sa garde-robe, de se débarrasser de ses bermudas beiges et de ses chandails informes. Elle ne se reconnaît plus.

+++

L'article est déjà en ligne sur le site Web de *La Sentinella*. Son nom est Nathalie Duguay. On sait peu de choses à son sujet : elle vient du Canada ; elle a gagné un voyage à Sienne grâce aux pains Pannolino. Sur la photo, on la voit allongée sur un divan, les yeux fermés, des stigmates ensanglantés sur ses mains jointes posées sur son ventre. Avec l'éclairage, on jurerait presque qu'elle a une auréole. L'article, écrit à la hâte, relate les deux guérisons miraculeuses, photos à l'appui. Sur une autre image, les deux hommes sont debout dans le jardin de la villa Cornetto, avec chacun un pouce en l'air.

+++

Elle se promène dans la ville, au hasard des rues, sans se préoccuper de ce qu'il faudrait visiter. Au diable les contraintes. Vacances, repos, improvisation. Elle est ravie de voir qu'elle passe inaperçue ; il semble que le récit de ses exploits ne se soit pas encore rendu jusqu'ici. Beaucoup de touristes, quelques cabots qui roupillent, des strings en dentelle qui sèchent sur une corde à linge, elle hésite un moment et puis hop, elle entre dans une boutique de vêtements. Depuis qu'elle a appris à dire *non capisco, puo parlare più lentamente ? Je ne comprends pas, pouvez-vous parler plus lentement ?*, les choses vont beaucoup mieux pour elle. Les gens se donnent la peine de ralentir le débit, de mimer, de tenter quelques mots d'anglais pour mieux se faire comprendre, toujours plus patients avec les touristes qui se risquent à parler leur langue. Ils l'aident aussi à placer l'accent tonique au bon endroit ; elle s'est vite rendu compte que son premier réflexe était d'en mettre partout, comme elle fait avec le poivre ou le paprika. *Avete in una taglia più grande ? Vous l'avez dans une taille plus grande ?*

+++

Gianluca éteint son ordinateur portable et le ferme d'un claquement sec. *Non mais pour qui elle se prend, cette grosse pute ?* À peine débarquée de l'avion, voilà qu'elle devient déjà le centre d'attraction, la guérisseuse dont tout le monde parle, alors que lui a déjà extrait quelques cancers chez des mourants, devant des témoins ébahis, sans qu'on lui accorde le moindre entrefilet dans les journaux. Ça n'a pas empêché ses miraculés de mourir mais, n'empêche, il s'attendrait à un peu plus de déférence et de patriotisme de la part des journalistes.

Gianluca est dans une sale humeur et mâchouille l'extrémité d'un Bic comme s'il voulait le réduire en poussière. Il récite tout de même quelques « Notre Père » afin que le Seigneur Tout Puissant lui pardonne d'avoir blasphémé. Il saisit sa Bible et sort de la maison, direction *Il Campo*, pour se changer les idées.

+++

À l'heure convenue pour le retour, elle monte dans l'autocar avec des sacs plein les mains : deux nouvelles jupes, un jean, trois blouses et un chapeau de paille pour homme qui lui donne un petit air canaille. Sa voisine de siège, une Belge dont l'haleine rappelle l'odeur de la nourriture à poissons, la complimente pour son chapeau et lui demande si elle a entendu parler de cette touriste qui guérit des malades, pleure du sang et marche sur l'eau.

— Non, désolée, je suis pas au courant de cette histoire-là ! Mais ça me semble peu plausible, bien franchement. Vous y croyez, vous ?

La dame hausse les épaules, certaine de rien, et reporte son attention sur le guide qui s'excite pour une colline en fleurs, ébaubi comme s'il venait de repérer un troupeau de licornes.

— Là, sur votre droite, regardez comme c'est beau ! *Look at the beauty of that ! È magnifico ! È spettacolare !*

Nathalie ne peut se retenir plus longtemps. Elle ouvre à nouveau ses sacs et contemple tous ses nouveaux vêtements.

+++

Assis à la terrasse de son café habituel, Gianluca a tant de choses à l'esprit qu'il est incapable de se concentrer sur sa lecture. Il referme sa Bible et observe plutôt les touristes. Beaucoup d'étudiants qui voyagent en groupes et qui prennent une pause, par petites grappes, assis par terre en plein soleil, à lire leurs courriels ou à s'envoyer des textos.

Une question d'une grande importance le frappe. Il a appris à extraire de faux cancers, à faire pleurer du sang aux statues et à simuler des dons de voyance ; il sait bien que le Divin a souvent besoin des services de l'homme pour éviter qu'on l'oublie. Mais cette Nathalie Duguay, comment fait-elle ? Elle a supposément guéri des gens qui étaient handicapés depuis longtemps, et il doute qu'elle les connaissait déjà ; l'article précise que c'est son premier voyage en Europe. Il faut qu'il découvre son truc. D'abord pour accuser cette femme de charlatanisme, ensuite pour s'approprier ses techniques. Pour lui, l'hypothèse du miracle est hors de question ; Dieu ne donnerait pas tant de pouvoir à quelqu'un qui ne le mérite pas. *Si le peuple doit adorer son Dieu à travers un humain, je crois que ce serait préférable que ce soit quelqu'un qui me ressemble un peu. Un homme fervent et dévoué. Je serais évidemment le candidat idéal. Je me demande si je ne devrais pas me faire des stigmates. Ça ramènerait un peu l'attention sur moi.*

Il remarque parmi la foule un des jeunes pickpockets qui a l'habitude de traîner sur *Il Campo*. Il n'est pas en train de subtiliser des téléphones ou des portefeuilles, il s'adresse plutôt aux gens pour tenter de leur vendre un truc qu'il montre à l'un et à l'autre. Gianluca plisse les yeux. Non, il ne rêve pas, le petit bâtard a un MacBook entre les mains. La coïncidence est frappante : il a justement croisé le père Pio au presbytère il y a à peine une heure et le bonhomme lui a raconté qu'on lui avait dérobé le sien. Il était fâché, nerveux et semblait presque dégoûté de la race humaine. *Si c'est l'ordinateur de padre Pio, il me le faut.* Il se lève d'un bond et se dirige vers l'enfant, qui marchande avec deux touristes.

Le petit bandit détale à la seconde où il repère Gianluca qui avance droit vers lui, le regard sévère et la mâchoire serrée. Gianluca regrette aussitôt sa stratégie. Il aurait dû y penser, il est souvent en compagnie du prêtre et l'avorton doit s'imaginer qu'il veut lui reprendre l'objet volé. Pour ça, il a raison. Cependant, ce n'est pas dans l'intention d'aller le remettre au propriétaire, mais bien pour découvrir les petits secrets qui doivent se cacher dans le ventre de l'appareil. Il se lance à sa poursuite et espère que Dieu va lui simplifier la tâche et l'aider un peu, projeter le petit merdeux par terre pour qu'il s'ouvre les genoux sur les pavés, ou l'empaler alors qu'il tente de sauter une clôture, n'importe quoi pourvu que ça saigne et qu'il ait ce qu'il mérite.

La petite charogne cavale sur la *via Rinaldini* et tourne à gauche, *via Banchi di Sotto*. Il a l'habitude de fuir et sait d'expérience que les gens ont plutôt le réflexe de tourner à droite. Il prend encore à gauche, contre toute logique, pour revenir sur la *Piazza del Campo*. Il a si souvent semé la *polizia* que ce chauve aux airs de demeuré qui court en traînant sa grosse Bible ne l'impressionne pas du tout.

Tout de même, le demeuré a réussi à le retrouver. Il est meilleur qu'il se l'imaginait. Il reprend donc la *via Rinaldini*, cette fois en ligne droite. Il essaie d'avoir l'air détendu quand il croise un policier qui tente d'expliquer quelque chose à un touriste égaré, puis il reprend sa course. *Via Sallustio Bandini*, une autre ligne droite, cette fois c'est la vitesse qui compte ; les rues étroites de la vieille ville offrent peu d'endroits où se cacher. À droite sur *via Del Moro*, il débouche sur la place publique face à la basilique. Trop d'espace ouvert, il file tout de suite à droite, entre les voitures stationnées, saute le muret et se glisse dans un jardin rempli d'arbres et de buissons. *Ciao*, vieux con !

+++

Dans un café Internet rempli d'étudiants branchés, *padre* Pio tapote à deux doigts sur un clavier crasseux. Il cherche ce qu'il pourrait répondre à Capucci, l'émissaire du Vatican, un minimum de mots pour un maximum d'impact. Il a recommencé dix fois, en se faisant violence pour éviter d'offenser ces riches fonctionnaires qu'il considère comme la lie de la religion catholique, des malfrats repus qui ne semblent plus désireux d'attirer le moindre nouveau fidèle, comme s'ils se suffisaient entre eux. Il réfléchit, efface à nouveau tout son texte et n'écrit finalement qu'une seule ligne.

Et là, ça commence à vous intéresser?

Il insère un lien qui conduit vers l'article de *La Sentinella* et envoie le courriel. Il ferme la page de la messagerie et se lève. Il aimerait bien rester encore quelques minutes pour reluquer les jeunes perverses du site *Suicide Girls*, mais impossible de le faire ici sans qu'on le remarque. Déjà que sa réputation n'est pas très bonne, il juge bon de se retenir.

+++

Quand Gianluca arrive sur la *piazza*, face à la basilique, il a les jambes qui flageolent et ses vêtements trempés de sueur lui collent à la peau. Il n'a plus la force de continuer et tente plutôt de reprendre son souffle. Il est forcé d'avouer que l'endurance cardio-vasculaire ne vient pas en passant ses journées à étudier les saintes écritures. La tête lui tourne. *Le petit crasseux ne sait pas dans quel merdier il vient de se fourrer. Il pense quoi, que je vais pas le retrouver? Je le croise tous les jours!* C'est décidé, quand il mettra la main sur ce petit malpropre, il l'enverra rejoindre son ami mystérieusement disparu. Gianluca crache un trop-plein de salive par terre et retourne sur ses pas pour récupérer sa Bible, qu'il a fini par abandonner sur la table d'un restaurant pendant la poursuite. Son humeur ne va pas en s'améliorant.

+++

Laura entre dans le restaurant chinois de la rue *Vittorio Emanuele II* et cherche Nathalie. Elle est là, un peu à l'écart, qui lui envoie la main. Bises. Elles entament la conversation en se complimentant sur leurs vêtements. Chose rare, dans le cas de Nathalie, qui a plutôt l'habitude de ne se faire complimenter sur rien. Laura lui trouve même un petit air rebelle, plus rock. Nathalie rougit, surprise elle-même de réagir de la sorte. Ça lui donne envie de donner ses anciens vêtements à l'Armée du salut et de recommencer à neuf. D'autant plus qu'elle est dans le showbiz, maintenant, puisqu'elle donne des spectacles de magie, le matin, au réveil. Cette réflexion la fait pouffer de rire et, sans plus attendre, elle explique à son amie le numéro qu'elle a présenté quelques heures plus tôt. Laura est médusée, mais le ton détaché sur lequel Nathalie raconte les évènements la rassure un peu. Au fond, les deux croient plus ou moins à ce qui s'est passé. Une personne athée qui accomplirait des miracles? Elles ne peuvent s'empêcher de rire à constater l'immense ironie de la chose.

Nathalie a beau tenter de comprendre ce qui lui arrive, elle est sans repères. Elle qui a toujours vécu sa vie un peu à l'écart, sans se poser de questions, en évitant les conflits et les remous, ça lui fait beaucoup de choses à digérer d'un coup. *Qui suis-je, au juste? Qu'est-ce qui se passe? Pourquoi moi?* Rien qu'avec ça, elle a déjà de quoi perdre la tête.

— As-tu congé demain?

— Oui, pourquoi?

— T'as un appareil photo?

— J'ai un de ces petits machins automatiques…

— Non, non. Un vrai appareil, je veux dire. Un truc manuel, avec un bon objectif.

— Je sais que mon frère a parfois un Rebel machintruc. Il l'emprunte à quelqu'un, je crois bien.

— C'est parfait, ça ! Si tu réussis à mettre la main dessus, on se rejoint à la boutique de location de vélos. À dix heures ? Apporte quelques vêtements de rechange.

— Je vais manquer la messe. Mais hé, ho, c'est pas ce que tu penses ! J'y vais juste pour faire plaisir à mes parents ! Je vais me démerder.

— Super !

— Je crois que je sais ce que t'as derrière la tête ! T'es gentille ! Tu t'y connais en photo ?

— Je suis propriétaire d'une boutique de matériel photographique.

— Hein ? T'aurais pu le dire plus tôt ! Et t'as pas apporté d'appareil en voyage ?

— Longue histoire…

Laura envoie sans attendre un texto à son frère, qui lui répond qu'il ne devrait pas y avoir de problème. Il est endoctriné, mais au moins il reste serviable.

+++

Vittore entre dans la chambre en cachant l'ordinateur derrière son dos. Il tente de le ranger dans un de ses tiroirs sans trop se faire remarquer mais Ugo, son grand frère, couché sur le dos dans son lit, interrompt sa lecture d'une

BD de Spiderman et retire le capuchon qu'il a sur la tête pour mieux l'observer.

— Mais qu'est-ce que t'as foutu ? T'as pas encore réussi à t'en débarrasser ?

Vittore soupire. C'est plutôt raté. Il se rend compte qu'il aurait dû le cacher avant d'entrer dans leur chambre. Il espère qu'un mensonge compensera sa piètre planification, en plus de le rassurer sur sa vivacité d'esprit.

— Les gens en veulent pas ! Il est tout cabossé.

— Tu me prends pour un idiot ? Ces MacShit, tout le monde s'entretue pour en avoir. Il est cabossé mais il fonctionne très bien.

Raté. J'essaie encore une fois ?

— Et puis on n'a même pas le mot de passe pour l'ouvrir.

— Dis, ça t'arrive d'écouter quand je parle, tête de lard ? Je l'ai inscrit dessous, en tout petit. C'est « salvopio ». Pas très original, le curé. J'ai trouvé après seulement trois essais !

— Pourquoi on va pas le porter chez un prêteur sur gages, comme tout le reste ?

— Parce qu'il suffit de l'ouvrir pour savoir à qui il appartient ! Aucun prêteur sur gages serait assez con pour nous en débarrasser. Alors, tu me dis pourquoi t'as encore ce machin ?

Vittore, pour éviter les baffes, n'a d'autre choix que d'avouer la vérité. Il raconte la poursuite dans les rues de

Sienne, en exagérant à peine, si ce n'est de cette partie où lui et Gianluca Baggio roulaient sur des scooters dérobés à des touristes, côte à côte, à pleine vitesse sur la *Piazza del Campo*, et que l'autre maniaque tentait de l'assommer avec sa grosse Bible.

— Avec sa Bible ? Quel gros connard de suceur de bite de pervers de merde ! S'il s'approche de moi, je lui ouvre le bide à coups de couteau !

— T'as un couteau, toi ?

Ugo, avec des airs de conquérant, sort l'objet de sa poche. Un couteau à cran d'arrêt, volé quelques heures plus tôt à un vendeur de drogue à la sortie du cinéma Impero. La lame est émoussée, il semble avoir beaucoup servi. Ugo l'agite dans la lumière en traitant Gianluca de tous les noms. Vittore, moins intelligent peut-être mais plus intuitif que son frère, se dit que tout ça va très mal finir.

DIMANCHE

Cette fois, Nathalie s'est réveillée tôt. Elle enfile sa robe de chambre et descend l'escalier. Elle fait irruption dans la cuisine et se plante devant les Cornetto, affairés à préparer les déjeuners, plutôt surpris de la voir là. Aidée par son *Italien utile en voyage*, elle leur dit sa façon de penser avant même qu'ils aient le temps d'ouvrir la bouche. Elle est en vacances, elle a droit à sa vie privée, leur villa est censée être un lieu de repos et c'est tout à fait irrespectueux de leur part de laisser entrer des gens pour qu'ils viennent la harceler à sa porte. Elle menace d'aller tout raconter au bureau de tourisme, au conseil municipal, peu importe, elle trouvera à qui il faut se plaindre pour faire fermer leur établissement de merde s'ils s'avisent encore de laisser des intrus venir la déranger. Il n'y a que Laura qui a sa bénédiction ; les autres, elle ne veut pas voir leur ombre, pas même les Cornetto.

— Vous posez le plateau de mon déjeuner par terre, deux petits coups à ma porte, et vous sacrez le camp. Je suis en vacances, je veux la paix, est-ce trop demander ?

Même s'ils en ont manqué de grands bouts, les Cornetto ont compris l'essentiel : la dame est hystérique, elle déteste le genre humain et il vaut mieux éviter de l'approcher. De toute façon, ils n'avaient pas l'intention de laisser entrer les gens : ils sont déjà plus d'une cinquantaine à poireauter devant la grille, et il n'y aurait pas assez d'espace pour tout le monde dans le petit salon.

+++

Elle prend son temps sous la douche, en sort très détendue. Elle enlève les étiquettes de prix sur ses nouveaux vêtements. Deux coups à sa porte, tel que convenu. Elle déjeune assise près de la fenêtre en dégustant chaque bouchée. Elle est presque méconnaissable quand elle descend l'escalier, plus *glamour* qu'elle ne l'a jamais été. Elle s'est même appliqué un léger maquillage.

À l'entrée, ils sont maintenant une centaine à attendre qu'elle se montre, qu'elle guérisse des malades, qu'elle accomplisse des miracles, peu importe, rien que de l'apercevoir à la fenêtre en jetteraient certains dans l'extase. Ils lisent et relisent l'article publié ce matin-là dans l'édition papier de *La Sentinella*, ce même journal qu'elle trouve dans l'entrée de la villa et qu'elle feuillette en vitesse.

Elle est bien placée, en page 5, et un titre sur la couverture lui est même consacré : *Miracolo in Siena ?* Ils ont au moins eu la décence d'y mettre un point d'interrogation. Nathalie juge bon de sortir par la petite porte au fond de la cour. Aux quelques personnes qui surveillaient cette entrée, elle conseille de vite se précipiter en avant, dans la rue, ils sont en train de manquer tout un spectacle : la guérisseuse lévite à trois pieds dans les airs et ses yeux jettent de grands éclairs dorés. Ils courent, pas sûrs d'avoir compris ce qui se passe, et sans prendre le temps de lui demander qui elle est. Elle les regarde filer en pouffant, étonnée du succès d'une ruse aussi grossière.

+++

Laura rejoint Nathalie au moment où elle sort de la boutique de location de vélos. Les deux s'embrassent et Laura sort l'appareil photo du père Pio de son sac avec un air de triomphe.

— Tadaaa !

— T'as pas eu trop de difficultés à te sauver de la messe ?

— J'ai dit à ma mère que j'allais dans une autre église, avec une amie. Mon excuse habituelle.

— Pas fou ! Surtout que c'est probablement mieux qu'elle sache pas ce qu'on s'en va faire…

Nathalie vérifie les réglages, regarde dans l'obturateur et joue avec la bague de mise au point, s'assure que l'objectif n'est pas égratigné, que les piles sont suffisamment chargées et, après l'avoir ainsi inspecté, remet l'appareil dans son étui protecteur d'un air satisfait. Ce n'est pas du Hasselblad, mais ça convient parfaitement pour ce genre de boulot.

Après quelques emplettes au marché – pain, saucissons, fromages, vin rouge, eau minérale –, Nathalie passe devant et mène Laura vers la petite chapelle qu'elles avaient repérée lors de leur premier pique-nique. En route, elle raconte sa matinée à Laura, qui pose beaucoup de questions et s'amuse de chaque détail.

+++

Elles appuient leurs vélos sur une clôture de bois qui délimite le vieux cimetière à l'arrière de la chapelle abandonnée, dans de hautes herbes qui dégagent des odeurs de thym, de basilic et d'origan. La lumière est superbe, c'est une journée idéale pour faire de la photo et, une fois de plus, il fait une chaleur agréable et sèche. Nathalie se rend compte qu'il n'a pas plu une seule fois depuis son arrivée. Laura s'étire et bâille, boit quelques gorgées de San Pellegrino au goulot pendant que Nathalie tourne sur elle-même, concentrée, à se demander si la lumière est à son meilleur maintenant ou si elle sera mieux plus tard. Elle entre dans la chapelle, déserte mais pas abandonnée, sans doute entretenue par les habitants d'un hameau voisin. Elle s'y attarde un moment et en ressort convaincue.

— On commence dehors et on finit là-dedans?

Laura se laisse guider.

— Tu t'es pas habillée beaucoup, hein?

— Hé, j'ai pris la peine de mettre un soutien-gorge! De toute façon, c'est pas ce qu'on veut voir…

Nathalie ne peut qu'acquiescer. Elles s'éloignent un peu de la chapelle et Nathalie photographie Laura qui marche à reculons et s'amuse d'un rien, tout en réussissant d'instinct à rester naturelle devant l'objectif. Debout à l'orée d'un champ, Nathalie s'accroupit et saisit son modèle en contre-plongée, pour lui donner un air de conquérante. Laura s'agenouille dans les herbes folles, se roule dedans et lance des regards très sexe vers l'appareil. Nathalie l'encourage, elle n'a presque rien à faire pour que Laura prenne des poses intéressantes. Couchée sur le dos, Laura retire lentement ses longues Doc Marten's. Elle caresse ses jambes et ses pieds nus, puis se débarrasse de sa petite camisole noire, pour dévoiler son soutien-gorge en dentelle.

Le soutien-gorge ne reste pas longtemps. Elle le lance en riant en direction de Nathalie puis caresse ses petits seins fermes à deux mains. Elle mouille ses doigts et les fait glisser sur ses mamelons, chacun percé d'un anneau, pour en durcir les bouts. De toute évidence, elle est à l'aise avec son corps.

Elle se tourne et lève les bras au-dessus de sa tête, laissant le soin à Nathalie de photographier en détail le tatouage qui lui couvre une grande partie du dos, un enchevêtrement complexe d'oiseaux, de ronces, de femmes pirates et de monstres marins. C'est surprenant qu'elle réussisse à le cacher à sa mère, surtout avec les camisoles légères qu'elle aime porter. *La dame ne doit pas avoir un grand sens de l'observation*, se dit Nathalie.

D'un geste souple, Laura fait glisser sa jupe kaki sur une de ses hanches et dévoile un cœur stylisé, tout noir, tatoué sur son aine droite. Sur l'autre aine, une tête de mort. Elle retire sa jupe pour ne garder qu'une culotte bleu pâle à taille basse qui ressemble à un slip d'homme. Nathalie lui demande de remettre ses bottes et s'étonne du cul incroyable que possède cette fille, tout ferme et tout rebondi, qu'elle remue avec enthousiasme devant l'appareil.

— Tout va bien jusque-là ? Je vois que t'as pas trop de problèmes de pudeur…

— J'aimerais préciser que je suis pas du genre à me foutre à poil devant le premier venu, hein ? C'est facile parce que je te fais confiance !

Elles prennent une pause et regardent ensemble les photos sur l'écran de l'appareil. Il y en a beaucoup et Laura est excitée de voir à quel point c'est réussi. Elle se colle sur Nathalie pour mieux voir, jusqu'à lui toucher le bras avec un de ses seins. Nathalie sent la froideur de l'anneau qui se réchauffe au contact de sa peau. Laura dégage des effluves de framboises mêlées aux odeurs naturelles de son corps. Nathalie prend une grande respiration, troublée l'espace d'un moment, avec cette drôle de chaleur dans le bas-ventre, puis retrouve ses esprits.

+++

À voir le nombre de bancs vides, il semble que quelques fidèles se soient perdus en chemin. La messe de *padre* Pio est aussi enflammée qu'à l'habitude, mais cette fois, sa voix grave et autoritaire peine à retenir l'attention. Ça chuchote, ça regarde ailleurs, ça semble pressé de voir la célébration se terminer pour courir à la villa Cornetto. Il ne se gêne pas pour les secouer un peu, les faire lever puis mettre à genoux, debout, assis ; il enchaîne les prières et tente de les étourdir à coups de *Padre Nostro* et d'*Ave Maria*, mais les « amen » mal articulés manquent de rythme et de synchronisme. Rien n'y fait. L'arrivée de cette touriste n'aura pas eu que du bon ; elle a réussi à lui gâcher son dimanche. Il se retient de faire tournoyer l'encensoir au-dessus de sa tête en hurlant des injures en latin pour enfin captiver son auditoire. Il fait comme si tout était normal. *Gloria al Padre e al Figlio e allo Spirito Santo,* bande de saletés d'ouailles de merde.

Amen.

+++

Après lui avoir demandé de remettre sa camisole, Nathalie s'approche de Laura et lui verse un litre de San Pellegrino bien pétillant sur les seins et le ventre. Les deux rient de l'incongruité du geste, puis elles reprennent leurs rôles : l'une prend la pose avec ses vêtements mouillés qui lui collent à la peau et l'autre attend le bon moment pour appuyer sur le déclencheur.

Elles entrent dans la petite chapelle. Après quelques essais pour la lumière, Nathalie lève son pouce à Laura, tout est parfait. Cette fois, Laura y va franchement. Elle retire sa camisole mouillée puis, étendue sur un banc, elle glisse une main dans sa culotte et se caresse en regardant droit dans l'objectif. Elle lèche ses doigts et les replonge entre ses jambes. Elle grimpe sur l'autel, s'installe à quatre pattes et retire sa culotte, très lentement, pour laisser le temps à Nathalie, derrière elle, de ne rien perdre du moment.

— Il faut des gros plans, pour ton truc ?

— Un peu, oui. Pas trop quand même.

— L'anus et tout ?

— Évidemment ! L'anus est super en vogue. Anus, anus, anus, toujours plus d'anus ! Tu veux que je m'écartille les fesses encore un peu ? Comme ça, avec les mains ?

Nathalie s'étouffe presque et lui répond sans laisser paraître sa surprise.

— Non, non, c'est correct, d'ici on voit déjà tout ça très bien.

Laura se caresse lentement, en faisant de petits cercles avec ses doigts sur ses lèvres mouillées. Nathalie travaille avec la profondeur de champ, jugeant qu'un flou artistique sera de meilleur goût qu'un orifice en gros plan. Elle reste concentrée même si ce corps splendide, offert à ses regards, la trouble plus qu'elle l'avait imaginé.

Laura se retourne, se couche sur le dos et s'appuie sur les épaules pour soulever ses fesses, les jambes ouvertes pour qu'on puisse bien voir sa chatte et son cul luisants. Elle se masturbe d'une main en gémissant, se lèche le majeur de l'autre main pour l'humecter avant de le faire glisser sur son anus et l'y enfoncer. Les muscles de son ventre tressaillent alors qu'elle jouit, en se tapotant la chatte dans une rythmique bien précise qui prolonge son orgasme.

Nathalie est à la fois gênée et excitée, mais elle n'a rien manqué de l'action. Chatte humide, cuisses musclées, bouche entrouverte et gémissante, elle en a plein la carte mémoire. Elle a chaud. Elle aussi aurait envie de se faire plaisir, mais elle ne peut pas. La peur d'être jugée, la peur de se sentir coupable, toutes ces peurs qui guident sans cesse ses moindres décisions. *Le conformisme et le refoulement n'ont jamais fait de moi une meilleure personne. Au bout du compte, à toujours vouloir faire « ce qu'il faut », j'aurai seulement réussi à m'éloigner de mon humanité. J'ai la vie plate d'une religieuse et je suis même pas mariée à Dieu ! Pourquoi je suis toujours en train de m'interdire d'avoir du plaisir ?*

Elle se mord les lèvres, prend une grande respiration et voilà que, dans un élan de spontanéité, elle réussit à faire taire son astreignante petite voix intérieure pour céder à ses pulsions. Elle glisse une main dans sa culotte et pose ses doigts sur sa fente mouillée. Rien que ce geste, déjà, l'apaise, comme s'il mettait fin à une longue période de léthargie. Elle se masturbe les yeux fermés, penchée vers l'arrière, une main appuyée sur l'autel pour éviter de perdre l'équilibre. Elle parvient très vite à l'orgasme, libérateur, pendant que Laura l'observe en reprenant son souffle.

+++

— T'es certain que c'est ici ?

— Évidemment, que c'est ici ! Sinon, explique-moi pourquoi il y aurait tout ces gens qui l'attendent !

— Elle est où ?

— Qu'est-ce qu'elle fait ?

— Qu'est-ce qu'elle attend pour venir nous voir ? Il y a des malades à guérir, ici ! Des paralytiques et des aveugles ! Des sourds et des cancéreux !

— On dit que c'est le diable et que tous ceux qu'elle soigne pourriront en enfer !

— Il ne faut pas la regarder dans les yeux, sinon on mourra deux jours plus tard !

— Y croire ? Mais non, j'y crois pas ! Je veux seulement voir de quoi a l'air cette supposée prophète !

— J'espère que je me suis pas déplacé pour rien, j'ai un côlon irritable à faire guérir, moi !

— C'est quoi cette connerie ?

— On veut voir la guérisseuse !

— Quelle impolitesse ! Pour qui elle se prend ?

— Mon ongle incarné, qu'on s'occupe de mon ongle incarné !

— De quel droit est-ce qu'on nous prive de miracles ?

— Montre-toi !

— Tu sors ou bien t'attends qu'on vienne te chercher ?

Avant qu'ils se mettent à tout casser, Flora Cornetto n'a d'autre choix que de sortir de la villa et, au travers de la grille, leur expliquer que *Santa Natalia* n'y est pas.

— Désolé, les amis. Elle séjourne ici, oui, mais je ne suis pas responsable de ses allées et venues pour autant. Elle est libre de faire ce qu'elle veut, vous comprenez ?

— Faites-nous entrer, au moins ! Qu'on puisse toucher ses objets !

— Déposer nos offrandes !

— Visiter sa chambre !

— Se recueillir devant sa porte !

— Renifler ses draps !

— Prier en attendant son retour !

Ce n'est qu'en menaçant d'appeler la police qu'elle réussit à disperser la foule. Certains retournent chez eux en lui lançant des injures, d'autres s'installent un peu à l'écart, avec leurs chaises pliantes et leurs glacières remplies de sandwichs et de boissons fraîches. S'il n'en tenait qu'à elle, Flora laisserait tout ce beau monde entrer, moyennant quelques euros, et vendrait les vêtements de Nathalie au plus offrant. Mais son frère est plutôt contre, jugeant même l'idée vulgaire. *Depuis qu'il marche droit, celui-là, plus moyen de s'amuser.*

Zerbino veille au pas de la porte et montre les dents chaque fois qu'il croise un regard. Il n'a jamais vécu autant d'action que depuis ces quelques jours, et il s'adapte très bien à la situation. Tout ce grabuge et ces mollets à mordre l'aident à se sentir plus chien que jamais. *Le conformisme et le refoulement n'ont jamais fait de moi un meilleur chien. Au bout du compte, à toujours vouloir faire « ce qu'il faut », j'aurai seulement réussi à m'éloigner de ma vraie nature. Approchez, les casse-couilles, j'ai faim! Le premier qui débarque, je lui saute à la gorge, je lui arrache les tripes, je lui pisse dessus et je l'enterre dans le jardin.*

+++

Le moment après l'orgasme, où chacune émergeait de sa petite bulle, les doigts mouillés, est beaucoup moins embarrassant que Nathalie le craignait, même si elle a du mal à faire taire sa conscience. *C'était un petit secret partagé, un geste sans importance qui fait pas de nous des lesbiennes, encore moins des amantes, il faudrait pas s'imaginer des choses. Il y a eu un peu d'électricité dans l'air, une tension sexuelle qu'on s'est contentées d'apaiser chacune de son côté et puis c'est tout. On va pas en faire toute une histoire.*

La situation est claire entre nous deux, il y a rien qui laisse supposer qu'il faudrait qu'on en discute. Je dois seulement arrêter d'y penser. Allez, Nathalie, fais un effort. Arrête d'y penser. C'est rien de grave. Arrête d'y penser. Tout est correct. Arrête d'y penser. T'es pas lesbienne. Arrête d'y penser. Arrête d'y penser. Arrête d'y penser.

Elle reprend son appareil pour immortaliser le visage de Laura, qui affiche le même sourire postorgasmique que la Joconde, si particulier, teinté par une paix intérieure, un apaisement langoureux. Elle lui demande d'ailleurs de prendre la même pose que Mona Lisa. Avec ses seins nus aux mamelons percés d'anneaux, cet air à la fois frondeur et repu, cette photo de Laura est la meilleure de toute la séance.

Elles transfèrent les fichiers dans l'ordinateur portable de Laura et regardent les résultats en grignotant des fruits. Laura s'exclame à chaque photo, impressionnée des résultats. Elle se trouve belle et sexy, et Nathalie doit avouer qu'elle est plutôt satisfaite de son travail, d'autant plus que ça faisait longtemps qu'elle n'avait pas fait de photos artistiques. Quant aux photos érotiques, c'était une première, et elle n'aurait jamais cru en tirer autant de plaisir. Et d'excitation. Et d'envie folle de se plonger la main dans la culotte pour se faire jouir. *Arrête d'y penser.*

— Et là, c'est quoi les prochaines étapes?

— J'envoie les photos et ils les mettent sur le site. Ensuite, c'est une histoire de votes du public ou je sais pas quoi. Si on choisit mes photos pour être la série du jour, je deviens officiellement une *Suicide Girl*!

Elles ouvrent une bouteille de Chianti Classico et portent un toast au succès de l'entreprise. Laura en profite pour demander à Nathalie pourquoi elle ne s'était pas offerte tout de suite pour faire les photos, la première fois qu'elle lui avait parlé des *Suicide Girls*. Nathalie prend la peine de réfléchir et de boire une gorgée de vin.

— J'ai perdu l'envie de faire de la photo depuis longtemps. La boutique est un héritage de mes parents, et je pense que j'ai fini par associer leur mort et la photographie.

— Je comprends.

— Je me rends compte que c'est un peu malsain, de traîner dans une boutique vide qui me fait autant penser à la mort, d'autant plus que j'habite juste au-dessus.

— Effectivement, c'est plutôt morbide. Et pourquoi t'as fini par changer d'idée ?

— Pour te faire plaisir ! Et parce que je me souviens plus c'est quand la dernière fois que j'ai rendu service à quelqu'un.

Sur ce, elles lèvent à nouveau leurs verres en plastique et les vident d'un trait.

+++

Ugo se déplace d'une église à l'autre et doit avouer que son jeune frère a raison : un ordinateur n'est pas facile à revendre. Non seulement les gens se méfient, mais tenter de revendre des marchandises dans la rue compromet sérieusement son anonymat ; aussi bien crier à tous qu'on est un voleur à la tire. Pressé de s'en débarrasser, il se fait insistant auprès des petits groupes qui, à cette heure, sortent des églises. Il se doute qu'il y aura là un acheteur intéressé à se procurer de la marchandise volée sans poser de questions ;

une fois les péchés de la semaine confessés et pardonnés, les catholiques se donnent souvent la permission de commettre un petit geste illégal pour fêter ça. Les codes de conduite personnels que s'inventent les croyants seront toujours pour lui une source d'étonnement. Il suffit de voir ce que les gens apportent à l'église: des appareils photo bourrés d'images de couples baisant dans toutes les positions, des armes blanches, des godemichés de toutes les couleurs et, sa meilleure découverte, alors qu'il venait de voler un sac à main: un vibrateur clitoridien, un machin en forme d'œuf, équipé d'une télécommande sans fil, ultra silencieux et encore mouillé. Sûrement qu'il y a de ces pervers qui reçoivent la communion avec des objets enfoncés dans le cul. Il est grand, le mystère de la foi.

Il a presque envie de simplement remettre l'ordinateur là où il l'a trouvé: sur un tas de sacs poubelles. Il n'a pas que ça à faire, il perd du temps alors qu'il y a des tonnes de touristes négligents à dépouiller. Il retourne sur la *Piazza del Campo*, l'endroit le plus commode pour faire le plein d'euros et de cartes de crédit. Il jette un long regard circulaire sur toute la place pour s'assurer que cet emmerdeur de Gianluca Baggio n'y est pas. Une main se pose sur son épaule et s'accroche fermement à lui.

— Ciao, Ugo!

Uniforme, matraque, moustache, Ugo n'en revient tout simplement pas. Il vient de se faire pincer par un des agents de sécurité du *Palazzo Pubblico*.

— Cet ordinateur, si on regarde dedans, j'imagine qu'on va découvrir qu'il ne t'appartient pas?

— Faudrait d'abord que tu saches qui je suis, sale con.

— Ugo Donatelli. Tu habites au 244, *via Roma,* avec tes parents, des bourgeois pleins de fric qui devraient travailler un peu moins et s'occuper un peu plus de leurs deux fils, qui sont en train de devenir de petits voleurs sans envergure.

Ugo va de surprise en surprise. *Tout le monde me connaît ou quoi ? Merde !*

— Tu me donnes l'ordinateur, ou j'appelle la police ?

Ugo lui remet l'appareil sans discuter.

— Et pendant qu'on y est, Elio Petrone, qui traîne toujours avec ton frère et toi, tu saurais pas où il est, par hasard ? Ses parents sont morts de peur... il a fugué ?

Ugo aimerait bien lui répondre pour que Milo lui foute la paix, mais il n'en sait rien. Elio a disparu il y a quelques jours sans dire où il allait, ce qui, avoue-t-il, est plutôt inhabituel. *Et c'est bien dommage*, pense Ugo. *De nous trois, il était le spécialiste de la revente.*

Milo le laisse partir, satisfait de son interrogatoire, convaincu qu'Ugo lui a dit tout ce qu'il sait. Il le regarde s'éloigner de la *piazza*, piteusement, les mains dans les poches. *En voilà un qui a eu une bonne leçon.* Il ignore si c'est la moustache ou le tonfa, peut-être les deux, mais il lui semble que depuis peu on lui concède enfin une certaine autorité.

Une fois soustrait au regard de Milo, Ugo bouscule deux touristes, s'excuse poliment et continue son chemin en examinant le contenu de leurs portefeuilles. *De l'argent comptant, voilà un larcin facile à gérer.* Il abandonne tout le reste sous une voiture.

+++

Étendues à l'ombre sous un grand chêne, elles discutent en savourant l'été; brise légère, petits oiseaux, tout ça. Laura parle de Gianluca, qu'elle surnomme affectueusement son idiot de frère, et des liens qui les unissent.

— J'essaie de le sortir de là même s'il s'est fait laver le cerveau. Je suis tenace; pas une semaine ne passe sans que je fouille dans les journaux et que je lui dégotte une nouvelle histoire de prêtre pédophile, ou simplement détraqué, ou encore une déclaration du Pape encore plus débile que la précédente. On s'engueule toujours sur le sujet mais, pour le reste, on s'entend pas si mal. Et puis il est serviable. Je perds pas espoir de le convaincre un jour que c'est pas son petit Jésus qui va sauver le monde. Il y a seulement la religion qui lui fait lever le ton, sinon il est doux comme un mouton. Et c'est de ça qu'il a l'air, non? Un petit mouton fraîchement tondu!

Laura se fait rire elle-même. Avec son crâne rasé, ses lèvres boudeuses qui ne sourient jamais et la froideur qui émane de ses petits yeux de furet, Nathalie considère que Gianluca a plutôt l'air d'un tueur en série mais bon, elle a maîtrisé depuis longtemps l'art de ne pas dire tout ce qui lui passe par la tête. Elle approuve en hochant la tête et remplit les verres. Pour son grand bonheur, Laura change de sujet.

— Ça fait quoi, de guérir un paralytique?

Nathalie pouffe de rire, par réflexe. Elle n'arrive pas à s'habituer à l'idée. Voyant que Laura tient vraiment à le savoir, elle réfléchit un moment avant de répondre.

— C'est dur à dire. C'est touchant, dans un sens, ça donne une drôle d'impression de faire une différence dans la vie des gens. Mais, d'un autre côté, j'y crois pas. J'arrive pas à comprendre comment ça pourrait être vrai. Mais je vois pas non plus qui aurait intérêt à me faire une aussi mauvaise blague. T'es pas en train de me dire que tu crois que je fais des miracles, là ?

Laura hausse les épaules sans vraiment répondre. Elle ne sait pas quoi penser de tout ça. Nathalie non plus. Les guérisons, ajoutées au crucifix qui se replace de lui-même au mur et à ce Jésus qui l'a regardée dans les yeux, ça commence à faire beaucoup, surtout pour quelqu'un qui n'a jamais rien vécu de surnaturel ou d'inexplicable auparavant.

Et puis non. Ce n'est pas tout à fait vrai.

Le souvenir de cette nuit du Nouvel An lui revient d'un bloc, avec violence. Cette scène tragique de ses dix ans, qu'elle a revécue en pensée des milliers de fois, et toujours avec le même pincement au cœur, prend maintenant un sens nouveau.

+++

Ses parents, sa sœur Élise et elle avaient fêté l'arrivée de la nouvelle année à Montréal, chez tante Ginette, l'actrice excentrique qui avait épousé un riche producteur de jeux télévisés et d'émissions de variétés. D'une nature généreuse, les deux recevaient toute la famille le 31 décembre dans leur grande maison de Westmount, et le buffet était toujours mémorable ; ça allait du fameux pain tranché sur le long fourré de jambon, d'œufs et autres machins en passant par les saucisses cocktail dans la sauce VH, le plat favori des enfants, jusqu'aux mets plus obscurs que Nathalie et sa famille goûtaient pour la première fois. C'est là qu'ils avaient découvert les sushis, le taboulé, le foie gras et les fromages qui puent.

Pour les plus jeunes, l'attraction principale était Capone, le gros saint-bernard stoïque et baveux, qui avait ce soir-là une quadruple dose de caresses et ne savait plus où donner de la tête. Caresse par-ci, baballe par-là, et petite saucisse offerte en douce à l'occasion. Les parents veillaient tard, et, avant de partir, retrouvaient leurs enfants endormis sur le lit d'eau, parmi les grosses sacoches et les manteaux de fourrure.

La famille roulait en direction de Saint-Charles-Borromée, vers la maison. Le père, au volant de sa Dodge Aries-K, fumait pour s'aider à rester éveillé, la vitre entrouverte pour laisser entrer l'air vivifiant et faire sortir les odeurs de saint-bernard et de gras de tourtière. La mère, côté passager, cherchait une station de radio qui ne diffusait pas de musique du temps des fêtes; elle avait eu sa dose de reels québécois pour la soirée. Les deux filles à l'arrière, Nathalie et sa grande sœur Élise, dormaient si profondément que même le medley de la Compagnie Créole ne troublait pas leur sommeil. Pressé d'arriver, le père avait emprunté la route 343, préférant la longue ligne droite et un léger détour plutôt que de passer par Joliette et de risquer de tomber endormi à un des nombreux feux rouges.

Les risques qu'ils avaient de percuter un poteau de téléphone sur cette route de campagne étaient faibles et, pourtant, ils y étaient arrivés.

Il avait suffi d'une courbe légère et d'une plaque de verglas pour faire sortir la voiture de la route. Le père, malgré l'alcool qui affaiblissait ses facultés, avait réussi à contrôler le véhicule pour qu'il glisse dans une petite clairière. Cette providentielle absence de sapin s'expliquait facilement : l'espace avait été dégagé pour installer un poteau de téléphone, détail qu'il n'a vu qu'au moment de l'impact, l'instant avant sa mort. Lui et sa femme étaient passés au travers du pare-brise, aucun des deux n'ayant pris la peine de mettre sa ceinture de sécurité malgré l'alcool, malgré la loi, malgré la possibilité de contrôles routiers. C'était la nuit du 31 décembre au 1er janvier, c'était la fête.

La femme avait vu son mari étendu par terre, éclairé par un des phares de la Dodge, les yeux grands ouverts, déjà vides, la tête dans une position contre nature. Elle avait voulu se retourner pour regarder dans l'auto, pour savoir comment ses filles s'en sortaient. Elle les entendait hurler mais ne voyait rien, il fallait qu'elle se lève. Une douleur fulgurante l'avait traversée alors qu'elle tentait de se remettre sur pied. La colonne brisée en deux, elle était retombée lourdement, en crachant une gorgée de sang, pour ne plus jamais se relever.

Les parents, morts, tout bêtement, une statistique de plus à ajouter aux accidents de la route du long congé des fêtes.

Les deux filles avaient été brutalement réveillées au moment où la voiture quittait la route, et ça avait été la confusion complète pour un bref moment : le bruit de l'impact et des corps qui défoncent le pare-brise, la ceinture de sécurité qui leur cisaille le ventre et l'épaule, les jouets et les BD de Betty & Véronica qui virevoltent, puis les roues arrière qui retombent sur le sol. Après la poussée vers l'avant, terrible, les deux filles s'étaient fait projeter sur leur siège. Très vite, elles s'étaient mises à hurler d'horreur en voyant que leurs parents n'étaient plus dans la voiture. Où étaient-ils ? Que s'était-il passé ? Ce n'est qu'après avoir réussi à contrôler leurs tremblements qu'elles avaient pu déboucler leur ceinture, sortir et constater le désastre. Les cadavres de leurs parents, la voiture tordue contre un poteau et, tout autour, la noirceur, la route 343 déserte et Bing Crosby à la radio qui chantait *We wish you a merry Christmas and a happy new year* à deux petites filles perdues dans la nuit. Élise, treize ans et Nathalie, dix ans, étaient désormais orphelines.

Ce n'est que quelques heures plus tard, au cours d'un examen approfondi, que les médecins allaient constater qu'elles s'en étaient tirées sans la moindre blessure. *Un vrai petit miracle*, répétait souvent tante Ginette, la marraine de Nathalie, qui les avait prises à sa charge. *Un vrai petit miracle.*

+++

Dans la salle de repos des employés, Milo insère quelques pièces dans la machine à café automatique sale, bruyante et déglinguée et se commande un espresso bien serré. Il profite de sa pause pour allumer l'ordinateur afin de savoir à qui il appartient et, accessoirement, fouiner un peu dedans. Le MacBook est protégé par un mot de passe mais, au moins, le nom d'utilisateur est indiqué. Salvo Pio. *Eh bien dites donc. Le petit merdeux n'a pas volé n'importe qui.* Poussé par la curiosité, il essaie quelques mots de passe. *Padrepio, gesucristo, vaticano, pedofilo,* puis, gagné par une légère culpabilité, se disant aussi qu'au fond il n'en a rien à foutre de ce qui peut bien se cacher là-dedans, il referme l'appareil, le range dans son casier et se promet de le remettre à son propriétaire dès que possible. Il boit ses deux gorgées de café amer, se lisse la moustache et retourne se pavaner dans le *Palazzo Pubblico* en marchant lentement, mettant son tonfa bien en évidence par un habile mouvement du bassin. Élégance et décontraction.

+++

Les deux filles reviennent à Sienne sans se presser. Laura ne cesse d'alimenter la conversation mais Nathalie est distraite, absente même, et ne répond souvent aux questions que par un oui ou un non machinal, sans prendre la peine de préciser sa pensée. C'est tout juste si elle regarde les champs d'épeautre et de blé qu'elles traversent sous un soleil splendide. L'accident de sa jeunesse la tourmente, et elle sent jaillir en elle une envie qui ne lui prend pratiquement jamais : celle d'appeler sa sœur.

+++

À l'une des trois tables installées à l'extérieur du café Bandini, sur l'étroite rue *Del Porrione*, Sergio, le gérant, profite d'un temps mort pour discuter un moment avec Giovanni Cornetto et Luis de Stefano. Il sort son paquet de cigarettes de la poche de sa chemise et leur en offre à nouveau, qui sait si ça ne pourrait pas lui porter chance d'une quelconque façon, voire même lui procurer une place au ciel. Ses deux clients les plus célèbres ont plutôt bonne mine. Un rien les amuse, comme s'ils avaient retrouvé l'envie de faire partie du monde en même temps que leur mobilité. Ils sont attentifs à tout et découvrent la vie sous un jour nouveau. C'est à se demander s'ils ne vont pas se coucher sur le dos, les jambes en l'air, et se mettre à ronronner. D'un mouvement commun, les deux interrompent la conversation et pointent un garçon qui vient de tourner le coin et qui s'amène tranquillement dans leur direction. Sergio regarde mais ne comprend pas ce qui les étonne.

— Ça va, les gars ? Vous avez vu un fantôme ou quoi ?

— Ce serait pas le fils Petrone, ça ?

Sergio plisse les yeux, il ne voit pas très bien la ressemblance. Il entre en vitesse dans le café et arrache l'avis de recherche sur le babillard, pour comparer. *Eh bien dites donc.* Il le pose sur la table de Giovanni et Luis au moment où le garçon passe devant eux sans leur prêter attention. Il est bien habillé, bien coiffé et il sifflote, un gros livre sous le bras, l'air léger, marchant en direction de chez lui après avoir été porté disparu pendant près de six jours. *Décidément*, pense Sergio, *depuis que Santa Natalia est arrivée, les miracles se sont mis à pleuvoir sur Sienne. Il faut que je m'achète des billets de loterie.*

+++

Il est rare que leurs querelles soient graves au point qu'ils se boudent et travaillent chacun de son côté mais, cette fois, Vittore est vraiment fâché contre son grand frère. Ugo l'accepte mal, surtout parce qu'il sait qu'il a tort et qu'il n'a pas d'argument pour se justifier. C'est lui l'aîné, il a manqué de jugement et il est en grande partie responsable de ce bordel. De s'être fait reprendre l'ordinateur par un gardien de sécurité est une chose, mais de se rendre compte qu'à peu près tout le monde est au courant de leur « travail d'été » est plus préoccupant. Ses parents ne seraient pas heureux de savoir que leur progéniture affiche sa délinquance dans les rues de Sienne. Il se demande d'ailleurs comment la chose ne s'est pas encore rendue à leurs oreilles.

Avec la relative sagesse de ses quinze ans, Ugo se dit qu'ils devraient peut-être prendre leur retraite avant qu'il ne soit trop tard. D'un autre côté, si ses parents apprennent que leurs enfants sont de petits criminels, qu'est-ce que ça change qu'ils aient arrêté de voler ou pas? Alors, aussi bien continuer, non? Il serait bien embêté de trouver une réponse.

Il enfourne la dernière bouchée de son croissant au chocolat volé et s'engage dans une ruelle déserte pour vider un portefeuille de l'argent qu'il contient avant de le jeter dans une poubelle. Cent quinze euros facilement gagnés. Il empoche les billets et pense à tous ces touristes hypnotisés par les présentoirs pivotants, à la recherche de la carte postale parfaite à envoyer à leur famille. Il n'a qu'à tendre la main pour ramasser les portefeuilles qui dépassent des poches arrière des bermudas safari. Comment pourrait-il envisager sérieusement d'arrêter dans de telles circonstances? Ils le font exprès, ces cons.

Il marche vers la *Piazza del Duomo* pour retrouver son frère et s'excuser. Avec leur ami Elio disparu, l'idée de laisser Vittore travailler seul s'impose de plus en plus comme une mauvaise idée. Un pressentiment lui fait accélérer le pas.

+++

Dieu lui vient en aide, c'est certain. Ça devient trop facile. Après avoir débarqué Elio Petrone, bien vivant, à quelques rues de chez lui pour éviter d'attirer l'attention, Gianluca a profité du fait qu'il avait la C3 de ses parents toute la journée pour arpenter les rues de Sienne à la recherche des frères Donatelli. Leur façon d'opérer est répétitive et peu originale : on vole un portefeuille ou un sac à main dans un endroit passant, généralement une grande place comme *Il Campo* ou près du *Duomo*, et on court dans une rue en périphérie pour inspecter l'objet volé et récupérer l'argent qu'il y a à l'intérieur. On jette ensuite tout le reste et on recommence.

Ça fait moins de trois heures qu'il fait le guet dans la voiture, stationnée près du *Duomo*, et il a déjà vu Vittore Donatelli passer deux fois. Et le voilà qui revient. Gianluca regarde autour de lui ; les rues de Sienne ont beau être propices aux enlèvements de par leur architecture, il faut se méfier des touristes armés d'appareils photo qui peuvent tourner le coin à tout moment. Ils sont nombreux mais surtout infatigables, toujours prêts à ajouter une millième photo de rue étroite et courbe à leur collection.

Mais, cette fois, ça y est.

Vittore est debout derrière la voiture et concentre son attention sur le contenu d'un sac à main Gucci. La rue est déserte. Gianluca pose son sandwich sur le siège et sort sans fermer la portière. Il ouvre rapidement le coffre et fait quelques pas pour saisir Vittore, qui s'est accroupi derrière une boîte aux lettres. Il le balance dans la voiture et l'assomme sans que Vittore ait le temps de réagir, encore moins de savoir ce qui se passe. Il lui lie les mains et les jambes, le bâillonne et referme le coffre, content que ses parents aient acheté une voiture si commode, avec toutes les options du « pack voyage » : des stores latéraux, un cache-bagage pour la discrétion et une trappe à ski au milieu du banc arrière qui lui permettra de voir si Vittore se réveille pendant le voyage. Pas parfaite, tout de même, cette voiture ; si elle n'était pas vert lime métallisé, nul doute que Gianluca aurait moins l'impression d'attirer les regards. Il remonte dans la voiture et reprend son sandwich, mord dedans et mâche sans se presser en regardant à nouveau tout autour, afin de s'assurer qu'il n'y a pas eu de témoin. Satisfait, il allume le moteur et file sans plus attendre.

S'il avait vérifié ses angles morts, il aurait vu Ugo Donatelli, couteau à la main, courir à vive allure dans sa direction. Il s'engage sur un boulevard et disparaît dans la circulation en se disant que tout va bien. Il va même jusqu'à siffloter le *Dolorosa* du *Stabat Mater* de Pergolese, version *vivacissimo*. Pergolese, ça le rend joyeux.

+++

Nathalie a attendu qu'il soit dix-neuf heures pour appeler sa sœur à Montréal. Elle appuie sur tous les chiffres qu'il faut composer avant le numéro principal, notés sur un Post-it par le préposé du café Internet qui lui a assigné une petite cabine privée qui sent la cigarette et la vieille moppe.

Après les politesses d'usage, *t'appelles pas souvent, t'appelles pas souvent toi non plus*, et les banalités, *qu'est-ce que tu faisais, j'arrosais le plant de tomates sur mon balcon, toi ? Moi, je suis en Italie, au pays de la tomate*, Nathalie explique à Élise comment elle s'est retrouvée là, et elle en vient vite à la raison de son appel.

— Élise, je sais que la question va te paraître bizarre, mais, euh… est-ce qu'il t'est déjà arrivé des affaires surnaturelles ?

— Surnaturelles ? Qu'est-ce que tu veux dire ?

— T'sais, des choses que t'arrives pas à expliquer, des meubles qui se déplacent, des machins dans le genre…

— Mmmm. Il y a une fille, au bureau, qui me racontait que quand elle était petite, dans un chalet où elle allait tous les étés avec ses parents, une chaise berçante bougeait toute seule, et une fois les portes d'armoires de la cuisine se sont mises à claquer, à s'ouvrir et se fermer violemment pendant une bonne minute. Ils ont sacré le camp sans prendre la peine de ramasser leurs affaires. Il y a aussi une madame à la comptabilité qui dit qu'elle est capable de parler aux animaux défunts, mais je suis un peu sceptique.

— Non, je veux dire, toi, est-ce qu'il t'est déjà arrivé des drôles d'affaires?

— Franchement, Nathalie, je vois pas. Est-ce que ça va? Je te trouve bizarre, là.

— As-tu déjà guéri quelqu'un?

En entendant le ricanement d'Élise, Nathalie perd toute envie de lui raconter son histoire de miracles. Rien qu'avec ces quelques questions saugrenues, sa sœur semble déjà la trouver folle.

— Il frappe fort, le soleil de la Toscane! Sans blague, est-ce que tu t'es fourrée dans le pétrin et que tu sais pas comment me le dire?

Elles s'appellent surtout par habitude, pour tenter sans trop savoir pourquoi de maintenir vivant leur lien familial. Elles se parlent de ces petits chapitres de leurs existences où il ne se passe rien de déterminant et comblent les vides avec des souvenirs ou des critiques sommaires des émissions de télé qu'elles écoutent toutes les deux. Nathalie décide de se taire sur ce qui lui arrive et tente plutôt de rassurer sa sœur. Elle fait dériver la conversation sur les splendeurs de la campagne toscane, le charme médiéval des rues étroites et tortueuses de la ville, et sur le fait que même à Sienne, il y a moyen de manger chinois. Le temps est beau, la nourriture est bonne, tout va très bien.

Elle reste un moment dans la cabine après avoir raccroché, plutôt mécontente de la tournure de la discussion. *Pourquoi je l'ai appelée?*

Elle ne voit pas en quoi le fait d'apprendre que sa sœur possède des pouvoirs inexplicables aurait pu l'aider à démêler la situation. Au bout du compte, elle a surtout l'impression qu'elle vient de passer pour une détraquée. *J'ose pas imaginer ce qu'elle aurait pensé si je lui avais dit que je me suis masturbée devant une jeune fille nue, après l'avoir prise en photo. Je me serais fait une belle réputation. Ah! là là. Faut que j'arrête d'y penser. Dans le contexte, le geste s'explique facilement. C'est rien de grave. Arrête d'y penser. Arrête, arrête, arrête.*

+++

Connaissant de mémoire depuis longtemps le Guide alimentaire canadien, Élise se prépare un sandwich rempli de légumes. Plus distraite qu'à l'habitude, elle essaie de comprendre ce que Nathalie essayait de lui dire à travers toutes ses questions absurdes. Elle regrette d'avoir ri, elle s'est bien rendu compte que sa sœur s'est ensuite fermée, blessée dans son orgueil. Impossible d'avoir des explications sur le but de son appel.

Elle abandonne sur le plan de travail le concombre libanais qu'elle s'apprêtait à trancher, s'essuie les mains sur un linge à vaisselle et allume son ordinateur. À tout hasard, elle tape le nom de sa sœur dans Google. Rien d'anormal. Aucune Nathalie Duguay ne semble accusée de meurtre ou de complot terroriste. Elle pianote sur la table en réfléchissant, puis fait la même recherche dans les images. Quelques filles qui ne ressemblent pas du tout à Nathalie, dont une qui est agent d'immeuble, des maisons à vendre, une gothique aux sourcils trop épilés, des gens autour d'un kayak, une femme couchée sur un divan, les mains en sang… *Elle ressemble un peu à Nathalie, quand même…* Élise cesse de faire défiler les images et clique sur la photo. Sur un site italien de nouvelles, l'image de sa sœur, endormie, une auréole autour de la tête. *Miracolo in Siena?*

— Bon yeu, c'est quoi, ça?

Elle clique sur la traduction française du texte pour tenter de comprendre ce qui se passe.

+++

Inutile de dépenser une fortune en achetant un couperet de boucher. Ce couteau lourd à haute lame n'a rien d'un outil de précision. Il n'est pas conçu pour les coupes délicates, mais bien pour fendre les chairs, pour séparer les os en tranchant le cartilage. La qualité de la lame n'y change pas grand-chose. Les deux points à surveiller: son poids, qui, avec l'élan du bras, vous aidera à trancher et, surtout, une poignée suffisamment grosse pour éviter que l'outil vous glisse des mains.

Gianluca fouille dans le tiroir à ustensiles et trouve très vite ce qu'il cherchait. Après avoir fendu l'air d'un geste leste pour tester la maniabilité de l'instrument, il range le gros couteau dans son sac à dos et sort de l'appartement sans se faire remarquer. Il prend une pelle dans la cour, la même que la fois précédente, et monte dans la voiture. Il pose son attirail au pied de la banquette arrière et regarde par la trappe pour s'assurer que son passager est toujours dans le coffre.

— On va faire une balade?

Il prend ce silence pour un oui, recule la voiture et sort de la ville en répétant machinalement, à voix basse, l'extrait du Deutéronome à propos des enfants rebelles qu'il a appris par cœur.

— Si un homme a un fils indocile et rebelle, n'écoutant ni la voix de son père, ni la voix de sa mère, et ne leur obéissant pas même après qu'ils l'ont châtié, le père et la mère le prendront et le mèneront vers les anciens de sa ville et à la porte du lieu qu'il habite. Ils diront aux anciens de sa ville: voici notre fils qui est indocile et rebelle, qui n'écoute pas notre voix, et qui se livre à des excès et à l'ivrognerie. Et tous les hommes de sa ville le lapideront, et il mourra. Tu ôteras ainsi le mal du milieu de toi, afin que tout Israël entende et craigne.

Les parents ne s'occupent plus de rien, les «anciens» passent leurs soirées affalés aux terrasses à se livrer eux-mêmes à l'ivrognerie, il faut bien que quelqu'un se charge du travail.

+++

En entrant dans sa chambre, l'envie vient à Nathalie de lancer à nouveau le crucifix dans le jardin, rien que pour le plaisir ; elle imagine la joie du curieux venu l'espionner qui le ramassera et le ramènera chez lui pour en faire un objet de culte et sa stupeur, le lendemain matin, en constatant sa disparition. Elle ouvre les volets, prend son élan et, finalement, se ravise ; les Cornetto se sont assurés que personne ne flânait dans leur jardin et, finalement, elle a une idée encore plus amusante.

Elle descend voir Flora, affairée à nettoyer la cuisine, et lui tend le crucifix. La conversation est longue et ardue, entrecoupée de quelques recherches dans son petit dictionnaire, mais Nathalie réussit à lui faire comprendre qu'elle aimerait faire un test : Flora Cornetto n'a qu'à entreposer l'objet dans son coffre-fort pour la nuit et, demain matin, le rouvrir à la première heure. Une petite surprise l'attendra.

La dame ne comprend pas où cette touriste veut en venir mais elle ne lui refuse rien, son carnet de réservations se remplit à une vitesse incroyable depuis la parution de l'article dans *La Sentinella.* La suite est très claire dans sa tête : dès que Nathalie sera partie, Flora transformera la chambre qu'elle a occupée en lieu de pèlerinage. Tapis et cordons de sécurité pour éviter que les visiteurs ne cochonnent les lieux, vente de cartes postales... Elle espère que Nathalie oubliera quelques menus objets, mais elle en fournira s'il le faut ; les fétichistes qui viendront vénérer une brosse à cheveux ou un vieux savon n'y verront pas la différence.

Nathalie remonte l'escalier et file se coucher, souriante, anticipant avec bonheur l'émoi que tout ça va causer au réveil.

+++

La Citroën C3 Picasso sort de la route asphaltée, roule un moment sur un chemin cahoteux, s'arrête. Est-ce un bon ou un mauvais signe? Vittore ne saurait dire. Il entend Gianluca sortir de la voiture, tourner autour comme s'il cherchait quelque chose, puis plus rien.

Vittore retient son souffle. *Il est parti?* Ligoté comme il est, il lui est impossible de frapper avec les pieds ou les mains sur la voiture. Mais si c'est la seule chance qu'il a d'attirer l'attention, il est prêt à cogner avec sa tête. Il tente de bouger ses membres engourdis, se tortille et se retrouve sur le ventre. Pas plus avancé. Des bruits, à l'extérieur. Un coup sourd, puis un autre, ça semble venir d'assez près, devant la voiture. Vittore est attentif, et comprend vite ce qui cause ce bruit. *Il creuse. Ce putain de malade est en train de creuser ma tombe.* Il alterne entre la terreur et le désespoir et bouge dans tous les sens pour tenter de se détacher, mais ses efforts restent sans résultat. Il a le souffle court, et chaque nouveau coup de pelle augmente sa panique. C'est à peine s'il se rend compte que sa vessie est en train de se vider. La portière s'ouvre, une lampe de poche l'aveugle, Gianluca sort un couteau de sa poche et lui libère les jambes. C'est un immense soulagement que de pouvoir se remettre à bouger, mais il n'a pas le temps de chasser les fourmis de ses jambes; Gianluca le guide vers l'avant de la voiture, court chemin qu'il fait en flageolant.

— Mais qu'est-ce que vous avez tous à vous pisser dessus ?

Vittore observe les environs. Ils sont derrière une grange qui semble abandonnée, sur une petite route de terre. Il ne voit que des champs et pas de lumière, sinon celle des phares de la C3 qui éclaire le trou, avec une pelle et un couteau de cuisine déposés tout près.

— Je… le trou… c'est trop petit… je peux pas rentrer là-dedans… Même en me découpant en morceaux…

Gianluca le dévisage un moment, avec un sourire incrédule, avant de couper les cordes qui lui liaient les mains dans le dos.

— Tu pensais vraiment que j'allais te découper en morceaux ? Tu me prends pour un fou, ou quoi ? Le couperet, c'était pour trancher les racines, pas pour te couper la tête !

Vittore est libre, mais n'aurait pas la force de courir. Résigné, il attend la suite.

— Enlève tes vêtements.

— Quoi ?

— À poil.

Vittore le regarde en grimaçant. Il se demande s'il n'aimerait pas mieux recevoir tout de suite un coup de pelle en plein front, qu'on en finisse au plus vite.

— Hé, va pas t'imaginer des choses, petit pervers. Allez. J'ai une belle tunique blanche pour toi. Tu mets tes vêtements dans le trou, je te fais une douche purificatrice, tu mets la tunique et ensuite on file.

Dans un état second, Vittore s'exécute. Le scénario lui semble moins inquiétant pour l'instant que l'idée de se faire violer puis trancher en morceaux. Il jette ses vêtements un à un dans le trou, en tremblant, pendant que Gianluca parle sans vraiment s'adresser à lui, quelque chose à propos des Esséniens, une secte dont aurait fait partie Jésus. Les membres de ce groupe, obsédés par la pureté, creusaient pour enterrer leurs excréments et prenaient un bain purificateur après chaque repas et chaque déjection. *Mais qu'est-ce que j'ai à voir là-dedans?*

À peine est-il nu que Gianluca ouvre un robinet relié à un tuyau, près de la grange, et l'arrose pour lui faire prendre une douche forcée. Il lui lance ensuite une serviette, attend qu'il s'essuie et lui donne la tunique blanche. Il observe Vittore en souriant, visiblement satisfait du résultat. Il remplit le trou avec de la terre, ramasse ses outils, les remet dans la voiture. Comme si tout ça était normal.

— Bon, allez. On a encore une petite heure de route à faire. Sois gentil: si t'as encore besoin d'uriner, fais-le avant qu'on parte.

Partir pour aller où, Vittore n'est pas certain de vouloir la réponse. Gianluca lui lie les mains derrière le dos avant de le réinstaller dans le coffre. La Citroën se remet en route tandis que le Requiem de Mozart poussé à plein volume malmène les haut-parleurs. *Dies iræ, dies illa, solvet sæclum in favilla, teste David cum Sibylla! Quantus tremor est futurus, quando judex est venturus, cuncta stricte discussurus! Jour de colère, ce jour-là, réduira le monde en poussière, David l'atteste, et la Sibylle. Quelle terreur nous saisira, lorsque le juge apparaîtra pour tout scruter avec rigueur!*

+++

Les heures passées à s'entraîner devant le miroir ont bien servi Milo. Vêtu seulement d'un pantalon d'exercice, il constate que ses bras et ses épaules semblent déjà plus musclés, alors qu'il fend l'air de son tonfa, répétant sans cesse les mêmes arabesques avec une grâce de plus en plus marquée. Aucun résultat n'est possible sans la discipline, sans le geste mille fois répété. Il baisse son pantalon et rentre le ventre, prend sa queue d'une main et la pétrit pour lui donner un peu de volume.

— T'as vu tout ce que tu manques, Laura Baggio?

Il se débarrasse de son pantalon et s'installe dans son lit avec son ordinateur portable, ouvre la page Facebook de Laura et se masturbe en contemplant ses photos. Il s'arrête sur l'image qu'il préfère: Laura, lors d'une fête, est agenouillée et regarde au ciel, l'air absent, les mamelons dressés pointant sous sa camisole et les lèvres entrouvertes. Elle est photographiée en plongée, dans une position de soumission, comme si elle était prête à le sucer, et cette photo l'excite à tout coup. Il s'éjacule sur la cuisse, dans de grandes secousses, en s'imaginant lui en mettre plein la bouche.

+++

Dans la nuit, la voiture se dirige vers le sud-ouest, direction la mer. San Vincenzo, précisément. Quatre heures pour l'aller-retour, cinq si l'on tient compte des arrêts en chemin, le premier pour purifier le garçon et le deuxième pour l'installer dans ses nouveaux quartiers, une fois arrivés à destination. Il épargne un temps considérable depuis qu'il a réduit de moitié la profondeur des trous où il enterre les vêtements des garçons, sans compter que ça évite à ses bras chétifs de trembler toute la nuit.

La C3 vert lime roule tout juste en dessous de la limite permise, pas question de se faire arrêter pour excès de vitesse. Les fenêtres ouvertes pour se garder éveillé, Gianluca écoute en boucle l'Agnus Dei du Requiem de Mozart depuis presque une heure. *Agnus Dei, qui tollis peccata mundi, dona eis requiem. Agneau de Dieu qui enlevez les péchés du monde, donnez-leur le repos.* Ce n'est pas sa méconnaissance du latin qui le gêne pour chanter, mais plutôt ses capacités vocales, très limitées, qui le font fausser tant dans les basses que dans les aiguës. Après quelques essais, il se contente d'appuyer la rythmique en balançant la tête de gauche à droite, en retenant ses larmes tellement c'est beau.

+++

Nunzio Riina attend Gianluca, assis sur son balcon à fumer des cigarettes et à écouter clapoter les vagues. Il passe une main dans ses longs cheveux blonds pour les rejeter vers l'arrière et hume l'air salin avec le sourire d'un homme en paix avec le monde.

Refusant d'y voir un geste divin, Nunzio a abandonné la prêtrise le jour où il a gagné vingt-huit millions d'euros à la *Superenalotto.* Il travaille toujours pour le Créateur, d'une certaine façon, mais sans devoir renoncer à fumer, boire, baiser et prendre le temps d'écouter le clapotis des vagues. Un travailleur de l'ombre. Pour se protéger, surtout, puisque l'opinion publique serait évidemment défavorable à un projet d'évangélisation aussi radical.

Il se dit tout de même qu'une vie consacrée à remettre celle des autres dans le droit chemin devrait excuser certains écarts quand il arrivera aux portes du paradis céleste. Et sans doute que les conditions d'admission se sont assouplies depuis quelques années, sinon il ne doit plus y entrer personne.

LUNDI (PLUVIEUX)

Ce n'est qu'au moment de lui apporter son petit-déjeuner que Flora repense à cette étrange visite de Nathalie, la veille, alors qu'elle lui avait demandé de mettre le crucifix de sa chambre en sécurité dans le coffre-fort. Elle n'a toujours pas compris l'utilité de cette requête. Elle pose le plateau par terre et cogne. Cette fois, elle passe outre la demande de Nathalie, qui souhaite qu'on lui laisse le repas à la porte et qu'on disparaisse. Flora est la propriétaire de l'endroit, elle peut bien profiter de ce moment pour aller écornifler dans les chambres si ça lui chante.

Depuis l'ouverture de la villa, des touristes, elle en a vu de tous les genres. Il y a ceux qui sont partis sans payer, en emmenant avec eux tout le mobilier, sans que personne ait vu ou entendu quoi que ce soit, jusqu'aux détraqués qui y ont filmé des orgies de femmes fontaines. Il y a aussi les clients qui oublient, volontairement ou non, des objets inhabituels : dentier, œil de verre, poupée gonflable souillée ou truite arc-en-ciel nageant dans la baignoire.

Elle cogne à nouveau, avec insistance et détermination, de ses phalanges insensibilisées par le geste mille fois répété. Elle entend sa cliente ensommeillée qui grogne et qui s'extirpe enfin du lit pour lui ouvrir la porte.

Flora entre et dépose le plateau sur une commode. Elle fait mine de ne pas comprendre Nathalie, qui lui rappelle qu'elle a demandé à ce qu'on laisse son déjeuner au pas de la porte et qu'on lui foute la paix. Sa connaissance du français est plutôt limitée mais, rien qu'avec le non-verbal, elle saisit l'essentiel du message. Elle n'y fait toutefois pas attention, y allant de quelques *si, si, no, no* aléatoires, surtout intéressée à subtiliser en douce un petit souvenir pour son futur *Miracolo Museo*. Elle profite d'un instant où Nathalie ouvre les volets en lui tournant le dos pour empocher une culotte rouge qui traînait par terre. *Mais qu'est-ce que je vais bien pouvoir faire de ça dans mon musée ?* Elle y réfléchira plus tard. Une chose à la fois. C'est en se relevant qu'elle remarque le crucifix accroché au mur. Ça lui prend un moment pour comprendre que c'est bien celui que Nathalie lui a remis la veille. Ils sont tous différents de chambre en chambre et elle se souvient très bien à quoi chacun ressemble. Pas de doute, ce crucifix est bien celui qui est censé se trouver en ce moment même dans son coffre-fort.

— Bon ! Vous commencez à comprendre ce que j'essayais de vous expliquer, là, non ?

Flora lui sourit. Elle n'a pas saisi ce que Nathalie vient de lui dire, mais elle sait que cette chambre va lui rapporter une belle grosse montagne d'euros. Elle souhaite la meilleure des journées à Nathalie et c'est presque en trottinant qu'elle descend à son bureau pour ouvrir le coffre et confirmer la bonne nouvelle: Il n'y est plus. Ce crucifix sera assurément la pièce maîtresse de son musée. Elle se demande à quel montant fixer le prix d'entrée. Cinq euros, ça lui semble raisonnable. Disons six, et moitié prix pour les enfants.

+++

Ils ont plutôt mal dormi, les parents d'Elio Petrone. Pourtant, la journée d'hier les avait épuisés. Il y a eu d'abord le retour de leur enfant chéri, sorti de nulle part, pour leur plus grande joie. Embrassades, rires, pleurs, inquiétude, soulagement, ils ont connu toute la gamme des émotions humaines dans les quinze premières minutes de leurs retrouvailles. Ensuite, il leur a fallu faire une série d'appels téléphoniques pour rassurer la famille, et puis prendre contact avec le service de police, chez qui la nouvelle a déclenché une suite de formalités administratives: transmettre l'information à tout le corps policier d'Italie, aviser les patrouilleurs et les bénévoles d'abandonner les recherches, diffuser un communiqué de presse et envoyer des enquêteurs au domicile des Petrone pour tenter d'obtenir de l'enfant des renseignements sur les ravisseurs.

Et c'est là que l'histoire devient étrange.

S'excusant poliment de s'immiscer au milieu des festivités, les deux enquêteurs, accompagnés d'un psychologue affilié aux forces policières, ont expliqué aux parents qu'ils devaient rencontrer Elio le plus rapidement possible afin qu'il leur raconte toute son histoire avant qu'elle ne s'efface de sa mémoire. Il importait aussi d'évaluer le degré de son stress post-traumatique, afin de pouvoir l'orienter vers un spécialiste de psychopathologie adapté à ses séquelles possibles. Tenter de prévenir la dépression, l'anxiété, l'amnésie, ou toute autre caractéristique habituelle de névrose traumatique en cherchant dans le témoignage de l'enfant un signe avant-coureur des problèmes à venir.

Elio avait répondu correctement aux questions les plus simples de l'évaluation. Son âge, sa date de naissance, son adresse, le nom de la ville qu'il habite, les prénoms de ses parents, l'école qu'il fréquente, ce genre de choses. Tout s'était bien passé avec le test d'identification de couleurs, de nombres ou d'images simples ; maison, ballon, voiture, chien, chat. Les choses s'étaient compliquées lorsqu'ils l'avaient questionné sur les détails de son enlèvement. Qui l'avait enlevé, où l'avait-on emmené, pourquoi l'avait-on relâché, toutes les questions recevaient invariablement la même réponse, dite avec détachement : « Je préfère ne pas en parler. » Tenter de lui faire dire pourquoi il ne voulait pas en parler se soldait par un long silence.

Le psychologue avait laissé aux parents la carte professionnelle d'un spécialiste, voyant là un cas classique d'évitement, caractérisé par son apparente insensibilité émotive. Ce serait au psychologue spécialisé de déterminer à quel moment Elio pourrait livrer un témoignage détaillé aux policiers, afin de lancer l'enquête et d'arrêter les coupables. En attendant, ce qu'il lui fallait, c'était des biscuits au chocolat, un grand verre de lait et une bonne nuit de sommeil dans le confort de sa chambre.

Après avoir signé diverses paperasses et reconduit tous ces gens à la porte, les parents s'étaient enfin retrouvés seuls avec leur fils. Ils l'avaient observé grignoter ses biscuits, assis à la cuisine, dans un silence et avec un sérieux qui les mettaient mal à l'aise. Leur fils avait changé. Il était propre et soigné alors qu'habituellement, le faire renoncer à ses vieux jeans et à ses t-shirts trop grands était impossible. Plus curieux encore, au lieu de ses habituelles bandes dessinées de Batman ou de Spiderman qu'il adorait lire en mangeant, il feuilletait une Bible qu'il avait avec lui au moment de son retour. Pour des athées comme eux, il y avait là un grand mystère qu'il faudrait résoudre. Elio s'était retourné vers eux, en demandant d'une voix calme : « Aimeriez-vous que je vous parle de Jésus ? » Ça leur avait flanqué la chair de poule. Même le chat, qui dormait toujours sur son lit, avait préféré passer cette nuit-là blotti sous l'évier de la cuisine.

+++

Le père et la mère de Vittore Donatelli n'ont pas dormi. Comment auraient-ils pu ? Comment peut-on se préparer à affronter une pareille chose ? Ils ignorent ce qu'ils peuvent faire de plus qu'attendre. Faut-il appeler les hôpitaux des environs ? Si leur fils y était, on les aurait prévenus. Les policiers ont ouvert une enquête, mais ils manquent d'informations pertinentes pour lancer des recherches. Il faudrait d'abord savoir où Vittore a été vu pour la dernière fois. La famille proche, les amis, aucune personne de leur entourage vivant à Sienne n'avait la moindre idée d'où il pouvait se trouver. Parcourir les rues des environs en voiture en fin de soirée n'avait donné aucun résultat.

Les Donatelli ont donc passé la nuit à veiller devant la télé, sans la regarder vraiment, ou sur le perron à fumer des cigarettes, en silence, à se demander chacun de son côté à quel moment la relation avec leurs enfants s'était dégradée. Le temps leur manquait lorsque venait l'heure des devoirs, mais leurs fils avaient des notes satisfaisantes et se débrouillaient sans leur aide. Les rares interactions familiales se faisaient au moment des repas ou devant la télé, quand le film qu'ils avaient loué était du goût de tout le monde. C'était une maison d'absence et de silence, avec des adultes qui travaillaient trop et des enfants laissés à eux-mêmes.

Ugo semblait avoir des renseignements mais ne voulait pas parler. Il n'avait consenti à les laisser entrer dans la chambre qu'il partage avec son frère qu'après avoir fait un ménage rapide, sans doute pour cacher des choses sur lesquelles ils ne devaient pas tomber. Ils ne savaient plus qui étaient leurs fils. Ils ne savaient plus leur parler. Ils ne savaient plus rien.

Dans cette nuit d'angoisse et d'émotions troubles, l'envie leur était venue de faire l'amour. Mais, comme tant de gens ensemble depuis longtemps, ils ne savent plus comment exprimer leurs désirs. Alors, plutôt que de s'unir pour oublier un instant la douleur, ils avaient prié.

+++

Giovanni Cornetto revient à la villa avec les journaux du jour et quelques baguettes supplémentaires pour les déjeuners. Depuis qu'il a retrouvé sa motricité, il prend plaisir à faire des courses aussi souvent que nécessaire.

Il est surpris de n'avoir pas eu à fendre une foule compacte massée devant la grille de l'entrée, ni à l'aller, ni au retour, comme la veille. Une dizaine de personnes, tout au plus, semblent attendre une apparition de Nathalie Duguay, dans un enthousiasme modéré. Un jeune journaliste d'un journal local, deux photographes amateurs, rien que Zerbino ne saurait tenir à distance. Ce n'est qu'en déposant ses emplettes sur le comptoir de la cuisine qu'il remarque la une de *La Sentinella*. Flora s'approche, jette un œil sur le journal, et les deux se regardent d'un air perplexe. Giovanni n'a qu'une chose à dire sur la question :

— Canular mon cul ! Est-ce que j'ai l'air d'un putain de canular ?

Il improvise une petite danse pour appuyer son propos, en faisant des bruits de percussion avec sa bouche, poings en l'air, hanches par-ci, hanches par-là, genoux pliés. Flora pouffe de rire.

— C'est peut-être pas un canular, mais c'est pas très élégant.

Tout de même, elle se laisse gagner par la fièvre de la danse et, emportée par le rythme, y va d'un léger mouvement des épaules en agitant les mains.

Nathalie les espionne un bref moment et entre dans la cuisine en toussant pour annoncer sa présence. La scène aurait pu la faire sourire, il n'y avait que de la joie, dans cette cuisine, à ce moment, mais non. Ça ne l'aide qu'à prendre conscience que ces précieux moments de joie spontanée n'existent pas chez elle ; elle n'a personne avec qui danser dans sa cuisine. Elle remarque alors le journal déplié sur le comptoir et elle survole le texte pendant que le frère et la sœur reprennent le contrôle d'eux-mêmes. Ils lui expliquent, lentement, dans un mélange aléatoire de français, d'anglais, d'italien et de mime, la teneur de l'article.

Le scepticisme des médias ne changera pas ses plans. C'est qu'elle les comprend, après tout ; elle-même commence à peine à croire à ses dons.

+++

Padre Pio s'installe devant l'ordinateur du café Internet, qu'il a loué pour une heure, et en nettoie le clavier avec application à l'aide d'un chiffon et du produit lave-vitre qu'il a apporté. Il inscrit son adresse de courriel et son mot de passe pour vérifier s'il a des messages. Perdue au milieu de pourriels à tendance pornographique, pompe à pénis, viagra ou « trouvez rapidement des salopes dans votre région », se cache une réponse du Vatican. Il sourit, content de l'empressement qu'ils ont eu à lui répondre. Mais sa joie ne dure que le temps d'une gorgée de son cappucino tiédasse. À la question qu'il avait envoyée, vaguement passive agressive, « *Et là, ça commence à vous intéresser?* », il n'a qu'une courte réponse.

À: Salvo Pio
De: Ernesto Capucci

Non.

Ernesto Capucci
Commission des Miracles du Vatican

Avez-vous vraiment besoin d'imprimer ce courriel? Pensez à nos forêts. Ce message électronique est de nature confidentielle et privilégiée. Si vous l'avez reçu par erreur, veuillez nous en aviser par courrier électronique immédiatement.

— Non? Comment ça, non? Quelle bande de trous du cul condescendants!

Il remarque que ce gros porc de Capucci a joint un lien électronique qui mène vers le journal *La Sentinella*, qui présente de nouvelles informations sur les miracles de Sienne. Il clique.

LES MIRACULÉS DE SIENNE, UN CANULAR

Après enquête, il s'avère que la photo de Nathalie Duguay, la touriste guérisseuse de Sienne, n'était qu'un trucage. (Voir la photo altérée en fig. 1 et l'originale en fig. 2.) Un infographiste du journal se serait amusé à trafiquer la photo pour son plaisir personnel et une erreur dans le transfert des fichiers serait à l'origine de sa publication malencontreuse dans nos pages. L'auréole ainsi que les stigmates ont été ajoutés sur la photo originale, sur laquelle on ne voit rien qui puisse sembler surnaturel.

On ne saurait non plus accorder de crédit au témoignage des deux miraculés, puisqu'il s'avère que le premier, Giovanni Cornetto, est un des propriétaires de la villa où loge la touriste en question. Le deuxième homme, qu'elle aurait soi-disant guéri de sa paralysie, Luis de Stefano, est un ami de longue date de Cornetto. Cette mascarade n'était de toute évidence qu'une opération de marketing censée apporter un peu de visibilité à la villa Cornetto, un Bed & Breakfast décrépi qui bénéficierait beaucoup plus d'un coup de peinture que de faux miracles si les propriétaires souhaitent y attirer des touristes.

La Sentinella *tient à s'excuser auprès de ses lecteurs pour les avoir mal informés et pour avoir accordé trop d'importance à ce qui n'était qu'un canular. Un tel manque de rigueur ne se reproduira plus.*

Pio n'essaie même pas de contenir sa colère. Il s'empare du clavier et le frappe sur le coin du comptoir en hurlant sa rage, tandis que les touches ornées de lettres, de chiffres et de signes de ponctuation volent dans tous les sens. Personne n'ose intervenir. Les jeunes branchés qui l'entourent boivent leurs colas et leurs boissons énergisantes à petites gorgées en se disant que ça doit être une chose à régler entre Dieu et lui. Ils se contentent de monter le volume de leur iPod et de regarder ailleurs.

Ernesto Capucci serait ravi de savoir que son courriel a eu exactement l'effet escompté sur Salvo Pio. Au Vatican, ils espèrent ne plus jamais entendre parler de lui.

+++

Flora Cornetto feuillette un vieux dictionnaire italien-français qu'elle a retrouvé dans sa bibliothèque. Nathalie est patiente, elle la laisse chercher et préfère que ça prenne du temps plutôt que d'être mal comprise. Elle l'aide autant qu'elle peut en glissant dans ses phrases quelques mots qu'elle glane dans son *Italien utile en voyage.* Un duel de dictionnaires.

La demande est simple : Nathalie est prête à recevoir quelques « patients », à condition que ça se fasse dans sa chambre, en privé, et non pas dans le salon à la vue de tous, entourée de familles qui se pâment et qui sanglotent. Toute cette attention qu'on lui donne est trop étourdissante et elle veut éviter de se sentir comme les femmes à barbe, les sœurs siamoises et autres attractions de foire du début du siècle dernier. Il faudra qu'ils laissent entrer les gens au compte-gouttes, et pas de journalistes ni de photographes. Aussi, en cas d'évanouissement, qu'on mette tout le monde dehors et qu'on la laisse tranquille.

La petite séance de magie s'organise tranquillement. Flora acquiesce à toutes les requêtes de sa cliente. Elles se serrent la main pour conclure le marché et Nathalie retourne à sa chambre en parcourant l'article de journal. Elle ne sait pas quoi penser de son don, elle en a peur, mais elle veut le mettre à l'épreuve et, s'il est bien réel, montrer qu'il existe. Elle a aussi envie de montrer qu'elle existe, elle, Nathalie, avec ses qualités, ses défauts, et tous ces évènements qui lui arrivent et qu'elle ne comprend pas. Cette envie d'être là, parmi les vivants, est un sentiment qu'elle avait senti s'éteindre cette nuit d'hiver où les personnes qui comptaient le plus pour elle étaient mortes. Elle avait longtemps regretté de n'être pas morte avec eux. Et, en quelque sorte, c'est ce qu'elle avait fait : ne vivre qu'à moitié pour garder un pied dans l'autre monde. À Sienne, c'est ce don qu'on lui avait donné : l'envie de sortir des ténèbres, de renaître d'entre les morts et d'aider les gens. Laissez venir à moi les grands corps malades, les vieux tout croches et les éclopés.

+++

L'article n'aura finalement pas eu raison de la foi des croyants et, petit à petit, la rue se remplit de curieux. Des malades, mais aussi des personnes âgées qui n'ont rien de mieux à faire et des touristes qui souhaitent se faire prendre en photo en sa compagnie. On dépose des béquilles sur le trottoir devant la villa, on prie, on bavarde. Certains racontent comment prier Nathalie les a guéris de leur rhume ou de leur migraine, d'autres la défendent en disant que les journaux sont contrôlés par de pauvres pécheurs qui tentent de tourner le divin en ridicule et qui le paieront cher le jour du jugement dernier. Une journaliste d'une chaîne de nouvelles, micro à la main, attend avec impatience de voir le premier miraculé sortir de la villa. Une vieille dame raconte à qui veut l'entendre, avec une surabondance de détails, qu'elle n'a pas eu de problèmes d'incontinence depuis deux jours. Un homme lance des alléluias en agitant les mains en direction de la villa ; il n'a pas bu une goutte d'alcool depuis qu'il a affiché la photo de la stigmatisée sur son frigo. Il aimerait bien que la journaliste lui accorde une entrevue, mais elle aspire à un témoignage plus spectaculaire que celui d'un vulgaire ivrogne qui n'a rien bu depuis la veille. Un lépreux qu'on guérit, ce serait parfait. *Ça existe encore, des lépreux ?* Elle ne saurait dire. Elle se lisse les sourcils et attend, comme tout le monde, qu'il se passe quelque chose.

+++

Dix heures. *Allez hop, c'est parti.* Laura ouvre les portes de la tour panoramique du *Palazzo Pubblico.* C'est un de ces rares matins où il n'y a pas déjà un petit attroupement de touristes angoissés désireux d'éviter l'hypothétique cohue de l'après-midi.

Elle observe un moment la *Piazza del Campo* presque déserte, où passent sans s'attarder quelques Italiens qui se rendent au travail. Des touristes, américains ou allemands, bermudas beiges et sac à la taille où s'appuient leurs gros ventres, attendent la fin de l'averse sous les auvents des commerces. La contrariété se lit sur leurs visages : il va falloir réviser les plans.

Laura s'écarte pour laisser passer trois vieilles dames aventureuses et retourne à son poste pour leur vendre les billets d'entrée. Elle juge bon de leur préciser que le sommet de la *Torre del mangia*, malgré les cinq cent trois marches pour y arriver, ne se situe pas au-dessus des nuages de pluie.

Elle les regarde entamer la montée avec aplomb, en toute connaissance de cause, rabougries mais déterminées à aller voir le panorama. En voilà au moins trois qui n'exigeront pas de se faire rembourser pour cause de mauvais temps.

Alors qu'elle se demande si elle ne pourrait pas profiter du calme de ce lundi matin pour enlever sa culotte et se titiller un peu, Milo entre pour s'assurer que tout va bien. Elle l'assure qu'il n'y a pas de problème et le remercie poliment. Évidemment que tout va bien; elle ne se souvient pas de l'avoir vu à son poste dans un moment où elle aurait pu avoir besoin de lui; à croire qu'il fait exprès d'être dans la salle la plus éloignée du *Palazzo* chaque fois qu'il y a urgence. Il lisse sa moustache et fait la sentinelle devant l'entrée.

En plus d'être inutile comme agent de sécurité, il est même pas foutu de faire la conversation. C'est nouveau, cette moustache? Curieusement, ça lui va pas trop mal. Je me trompe ou il est plus musclé qu'avant? En attendant qu'il parte, elle s'occupe en remplissant le présentoir de cartes postales. Gianluca, qu'elle n'a pas entendu arriver, la fait sursauter en lui souhaitant bon matin d'une voix curieusement enjouée. Toujours serviable, il est venu récupérer la caméra pour la remettre à *padre* Pio.

Elle entre dans son cubicule et prend le sac de l'appareil sous le comptoir. Elle le lui donne et, avant qu'elle puisse lui demander quel est ce nouveau passe-temps qui le pousse à rentrer à la maison tard dans la nuit, Milo s'approche, mal à l'aise. Il s'excuse de se mêler à la conversation et insiste sur le fait qu'il n'écoutait pas ce qu'ils se disaient, non, il ne faudrait pas s'imaginer des choses, mais que, tout de même, comme ça, hop, sans avoir rien demandé à personne, il a entendu Gianluca dire qu'il allait rendre visite au père Pio.

Celui-ci confirme et attend de savoir ce que peut bien vouloir ce sans-gêne.

— Si tu me laisses deux minutes, j'irais à mon casier ; j'ai récupéré son ordinateur et il sera sûrement très content de le ravoir.

Laura, intriguée, lui demande comment il a pu entrer en possession de l'ordinateur du curé. Milo raconte toute l'histoire, en ajoutant quelques détails. Il invente une hypothétique utilisation de son tonfa, qui fendait l'air grâce à ses mouvements secs et précis, destinés à effrayer le voleur, une grande brute sanguinaire tout en muscles. Il lui aurait remis l'appareil avant de filer, terrifié devant cette redoutable machine de guerre qu'est devenu Milo.

Gianluca est bouche bée. Il n'arrive pas à croire à sa chance. Le Bon Dieu est une fois de plus de son côté. Sa voix tremble sous l'émotion alors qu'il dit à Milo que ça lui fera plaisir de lui rendre ce service.

Laura s'approche de l'agent de sécurité et se laisse aller à lui tâter un biceps, après lui avoir demandé la permission. *Il est réellement plus musclé qu'avant.*

+++

Le premier visiteur, un bègue qui ne parle qu'italien, n'arrive pas à se faire comprendre de Nathalie. Elle demande à Flora de monter et de lui expliquer ce qu'il peut bien vouloir. La conversation est longue et ardue, mais les deux femmes finissent par savoir que le type n'est pas là pour qu'on guérisse son problème d'élocution. Son désir le plus cher, c'est que son pénis atteigne une grosseur au-dessus de la moyenne. Elles parviennent à le mettre à la porte avant qu'il n'exhibe devant elles la preuve qu'il en a besoin. Il s'exécute tout de même devant la journaliste avant de s'enfuir. Vraiment, si ce n'est pas trop demander, celle-ci persiste à dire qu'elle aimerait voir quelque chose de plus spectaculaire.

Le patient suivant, un grand louche au crâne rasé, entre dans la chambre, plié sous la douleur supposée d'une pierre au rein. Il s'empare du premier objet à portée de main et s'enfuit sans se retourner. Adieu, *Kafka sur le rivage*, qui deviendra probablement un objet de culte. Et Nathalie qui n'était plus qu'à trente pages de la fin.

La débâcle se poursuit avec un couple de vieillards qui souhaite mourir main dans la main, là, tout de suite, avant que la mort ne s'empare de l'un et laisse l'autre seul en vie. Ils sont tout à fait mignons, à vouloir qu'on les tue en même temps, mais Flora les reconduit vivement à la porte et leur explique qu'il ne faudrait pas confondre la villa Cornetto et Buchenwald.

Arrive alors une fillette qui aimerait devenir un garçon, puis une jeune femme qui veut entrer en contact avec son frère jumeau, mort depuis cinq ans. Flora rejoint son frère, qui fait office de trieur à la grille, et le prie de mieux sélectionner les candidats. Après quelques questions adressées à la foule, de plus en plus dense, il leur dégotte une aveugle prometteuse d'une vingtaine d'années.

La jeune femme entre dans la chambre en s'aidant de sa canne blanche et Nathalie, en lui triturant le coude et l'avant-bras pour la guider, l'invite à s'asseoir dans le fauteuil près de la fenêtre. Son mari l'accompagne, un jeune homme poli et discret qui, par la force de l'habitude, anticipe tous les mouvements de sa femme et lui évite de se cogner sur les meubles. Ils discutent un peu, chacun dans un anglais élémentaire et approximatif, et réussissent à se comprendre, assez pour que Nathalie soit certaine que cette Sabrina Lanza est venue pour qu'on lui redonne la vue et non pour apprendre à jouer de l'accordéon ou pondre des œufs d'or.

Nathalie s'assoit sur le lit, juste en face de son aveugle. Elle se rend compte qu'elle ne sait pas trop comment s'y prendre. C'est qu'accomplir des miracles n'est pas dans ses habitudes. *Je remue les doigts devant ses yeux? Je lui donne un coup de baguette magique sur la tête? Qu'est-ce que Jésus ferait, à ma place?* Sans plus réfléchir, elle lui retire ses lunettes fumées. Pendant que Sabrina semble regarder un point vague quelque part au plafond, Nathalie se réchauffe les paumes en les frottant une sur l'autre avant de les lui appliquer sur les yeux. Elle appuie en attendant quelque chose, une chaleur, une force cosmique qui lui dirait que ça y est, c'est bon, voilà, mais rien ne semble se passer. Elle attend encore un moment. *Avec un peu de musique, du classique, Prokofiev, peut-être, «Montague et Capulet», du ballet* Roméo et Juliette, *ce serait beaucoup plus spectaculaire.*

Après une minute, ce qui lui semble plutôt long dans ce silence dramatique, elle retire lentement ses mains. Le mari de Sabrina, qui se tenait à l'écart pour ne pas gêner, se jette à genoux devant sa femme pendant qu'elle cligne des yeux, éblouie par la lumière, les formes et les couleurs, par toute cette vie qui grouille autour d'elle, par l'homme effondré à ses pieds qui ne peut retenir ses pleurs en lui saisissant les mains. Elle le rejoint sur le plancher et les deux s'étreignent dans de grands cris de joie.

Nathalie, qui se sent de trop, sort de la chambre et va se reposer dans le petit salon, qu'ils puissent rouler au sol sans rencontrer d'obstacles. Elle n'oserait jamais l'avouer, mais un tel épanchement d'amour la rend vaguement jalouse. Triste, même. Elle est certaine que le geste la rendrait mal à l'aise, mais aucun homme ne s'est jamais abîmé les genoux pour l'étreindre.

Les amoureux la remercient et la remercient encore, tandis qu'elle les raccompagne jusqu'à l'entrée et leur serre la main une dernière fois. En refermant la porte derrière eux, elle pousse un long soupir et dit à Flora que ce sera tout pour aujourd'hui. Ce couple qui s'éloigne bras dessus, bras dessous l'a ébranlée de bien des façons. Elle est fatiguée et veut faire un somme. Flora s'y oppose, elle fouille son dictionnaire pour lui faire comprendre qu'il y a encore plein de gens à guérir, il y a au moins un cul-de-jatte et une sourde et muette qui attendent.

— Dites au cul-de-jatte que ça repoussera pas, il faudrait pas charrier. Et à l'autre, dites-lui que… euh, dites-lui rien.

Elle remonte dans sa chambre. Inutile d'insister, la séance de guérison est terminée pour aujourd'hui. À l'extérieur, la journaliste et son caméraman se ruent sur l'ex-aveugle. Jeune, mince et jolie, c'est parfait pour les nouvelles télévisées. Un indéfinissable petit air de cochonne en plus, ce qui n'est pas négligeable en ces temps où il faut à tout prix retenir l'auditeur jusqu'à la prochaine pause publicitaire.

+++

Le père revient avec quelques emplettes. Il a posé des questions en chemin, personne n'a vu Vittore. Aujourd'hui, lui et sa femme déjeunent à la maison. Ils n'iront pas travailler. La question ne se pose même pas.

La mère fouille dans un des sacs, en sort le journal et le feuillette rapidement. Elle ne saurait vraiment dire ce qu'elle y cherche; une information, un signe, n'importe quoi qui pourrait l'aider à comprendre. Les faits divers la font paniquer. Des accidents de la route, des fusillades, des drames familiaux, elle n'avait jamais pris conscience du nombre de ces morts quotidiennes, banales, un dernier entrefilet avant que vous sombriez dans l'oubli. Ses doigts tremblent quand elle arrive à la page où l'on parle d'Elio Petrone, le garçon disparu puis retrouvé. Un ami de leurs fils. Elle tourne le journal pour que son mari puisse voir l'article. Il regarde distraitement en manipulant la machine espresso, puis arrête tout ce qu'il fait, figé par la nouvelle.

> ***D'autres enfants de la région auraient disparu avant lui, pour être retrouvés eux aussi quelques jours plus tard.***

Les deux se regardent, de l'espoir humide et salin plein les yeux. La famille Petrone, c'est par là qu'il faut commencer.

+++

Le père Pio devra attendre. À quoi bon lui rendre visite pour fouiner dans ses affaires alors qu'on a son ordinateur personnel entre les mains? Gianluca a remis à plus tard toutes les activités prévues à son agenda[5] pour rentrer à la maison et s'enfermer dans sa chambre. Les mains tremblantes, il ouvre l'appareil dans l'espoir de découvrir enfin tous les

5. Lire la Bible.

secrets de ce vieux crapaud louche. Il appuie sur le bouton de mise en marche et attend l'éblouissement, comme si d'étonnantes révélations allaient surgir devant ses yeux dans une lumière divine appuyée par une cantate de Bach jouée sur un grand orgue. Un écran plus que banal s'affiche et lui demande un mot de passe pour aller plus loin. Il s'y attendait mais, n'empêche, il est un peu déçu.

Il réfléchit un moment et se lance avec un simple « Bible ». Ce n'est pas ça. Jesus ? Non. Jesuschrist ? Non plus… Padrepio ? Genèse ? Exode ? Lévitique ? Évangile ? Matthieu ? Marc ? Luc ? Jean ?

Très calme, Gianluca se lève et va à la cuisine. Il en revient avec un San Pellegrino à l'orange et une boîte de craquelins. Il s'installe confortablement dans sa chaise de travail et choisit de la musique d'ambiance en grignotant. *Rien ne presse. J'ai tout mon temps. La Traviata* de Verdi, avec Alberto Rinaldi. *Tout va bien.* Il ouvre la bouteille et y plonge une paille. Il tape « saintesprit », ce n'est pas ça. *Inutile de s'énerver. Je vais finir par trouver.*

+++

Assise sur son lit, Nathalie feuillette le journal, armée de son *Italien utile pour le voyage*. Elle aimerait se relaxer, mais la clameur de mécontentement qui arrive du dehors l'en empêche. Elle va devoir filer discrètement et aller se détendre ailleurs. Un entrefilet attire son attention : la chapelle au sous-sol de l'hôpital Santa Maria della Scala, après avoir été fermée pendant quatre jours pour maintenance, est maintenant rouverte au public. Elle se dit qu'aujourd'hui, avec tout ce qui s'est passé depuis sa visite de la chapelle, elle aurait le courage d'y retourner. Avec

Laura. Tout ce qu'elle fait est moins anxiogène quand Laura y est. Et puis les apparitions divines, c'est comme tout le reste : on s'y habitue vite. Ça nous en prend toujours plus pour nous impressionner. Alors, à moins que Jésus descende de sa croix et se lance à sa poursuite pour tenter de la mordre à la gorge, elle croit bien qu'elle saura garder son calme.

Elle prend son parapluie, sort par l'arrière en saluant les Cornetto d'un geste bref et, du jardin, pique à travers la haie jusque chez le voisin. Elle se retrouve dans la rue sans avoir été repérée. Aventurière, athlétique et rusée.

+++

Nathalie arrive au campanile au moment où Laura en sort pour sa pause du dîner. Elles se font la bise et Nathalie est soulagée de ne ressentir aucune gêne devant son amie, malgré qu'elle se soit masturbée devant elle pas plus tard qu'hier. *C'est rien de grave, tu vois bien. Arrête d'y penser.* Elle propose à Laura de manger un truc en vitesse et d'aller visiter la chapelle de Santa Maria.

— C'est rouvert ?

— Oui. On y va ? Cette fois-ci, je vais prendre mon courage à deux mains pour y aller avec toi. À l'aventure !

Laura ne répond pas, mais son manque d'enthousiasme est flagrant. Elle cherche la bonne façon de parler à son amie.

— Tu vas peut-être trouver ça con, mais on dirait que j'ai plus envie d'y aller.

— Ouais. C'est sûr qu'on risque de perdre notre temps. Ça doit pas arriver souvent que Jésus bouge la tête.

— Non, c'est pas pour ça. J'irais si j'étais certaine qu'il va rien se passer.

— Hein?

— Regarde, toi, ce qui t'es arrivé. Tu crois même pas en Dieu, mais ça t'a pas empêchée de voir ce machin. J'ai pas envie que ça m'arrive. J'ai pas envie d'hériter d'un don magique et d'avoir des foules devant ma porte et qu'on me demande de guérir les aveugles, les paralytiques et les lépreux. Je saurais pas quoi faire avec ça.

Nathalie comprend tout à fait. Ce qui l'inquiète le plus, dans toute cette histoire, c'est la suite des choses. Son avenir. Elle s'imagine mal devoir passer de ville en ville dans tout le Québec, s'installer sous un chapiteau et accueillir des hordes de malades. Mais, d'un autre côté, avoir ce don et n'en faire profiter personne, ce serait du gâchis.

Il lui semble loin, le moment où elle remplissait le coupon de tirage des pains Pannolino et qu'elle le mettait à la poste, après avoir fait une courte prière – à aucun dieu en particulier –, dans l'espoir de gagner un barbecue à gaz. Ce geste anodin l'avait menée à Sienne, transformée en prophète nouveau genre. Elle ne souhaite ça à personne. Quoique, plus elle y pense, plus elle se dit que bien des gens aimeraient être à sa place. *Pourquoi c'est pas tombé sur un de ces dingos qui rêvent de gloire mais qui n'ont aucun talent particulier?*

Elles achètent des sandwichs à un petit comptoir. Les meilleurs au monde, selon Laura: poulet mariné puis rôti, poivrons grillés, roquette et mayo. Elle fait découvrir à Nathalie le coin où elle adore dîner, un parc minuscule constitué d'une fontaine et de quatre bancs publics, d'où on peut voir les piétons déambuler dans la rue tout en étant tranquille.

Au fil de la conversation, Nathalie émet l'hypothèse qu'elle a peut-être ce don depuis son accident de voiture et qu'elle ne s'en était jamais rendu compte.

— Quel accident ?

Nathalie prend son temps et lui raconte tout ce qui s'est passé cette nuit d'hiver où elle a perdu ses parents. Laura est émue et fascinée par cette histoire. Elle mâche une bouchée machinalement, en oubliant de la savourer.

— Ça explique pourquoi t'as jamais eu d'enfants.

— Euh. Hein ?

— Tu te réveilles en sursaut dans une voiture et tu vois tes parents morts, désarticulés dans la neige. C'est vachement dégueu ! Normal que ça t'ait coupé l'envie d'avoir des enfants ! La peur de les abandonner à ton tour.

Nathalie s'accorde un long moment pour réfléchir, et les deux en profitent pour déguster leur sandwich et se partager une salade de tomates et de bocconcini. Ça semble tout simple, dit comme ça : mes parents sont disparus subitement quand j'étais petite, je n'ai pas envie de risquer de faire subir la même chose à mes propres enfants. Et elle qui a toujours jeté le blâme sur les hommes, ou le peu d'attirance des hommes envers elle. L'aurait-elle fait exprès pour ne fréquenter que des insignifiants ? Pour faire en sorte de ne jamais rencontrer un géniteur potentiel ? Elle considère que la question mérite qu'elle s'y attarde. Ça expliquerait bien des choses. Et sa sœur aînée est dans la même situation qu'elle : célibataire, sans enfants, sans relation stable. Un peu lesbienne aussi, peut-être; Nathalie n'est sûre de rien et n'oserait jamais poser la question franchement. Sa présomption vient du fait qu'Élise habite un petit appartement avec une de ses amies. Vivre en colocation passé trente ans lui semble louche. Surtout quand il n'y a qu'une chambre à coucher. *Mais pourquoi j'ai pas allumé plus tôt? Ma sœur est gaie! Et elle a une blonde! Et toutes les deux on n'a jamais eu le courage de faire des enfants! Et j'ai des dons de guérisseuse! Bon sang.*

Nathalie secoue la tête et ramène son attention sur les touristes qui, des cartes dépliées à la main, cherchent à percer le mystère des rues sinueuses qui ne mènent jamais là où l'on voudrait aller.

— Je commence à me demander si ma sœur et moi on serait pas immunisées contre les blessures, ou un truc dans le genre.

— Quoi?

— Depuis l'accident de voiture. On s'en est sorties sans une égratignure. Peut-être qu'elle aussi a des dons! Peut-être qu'on est capables de s'autoguérir? Je me souviens même pas de la dernière fois où je me suis blessée!

Laura n'a pas à réfléchir longtemps pour résoudre l'énigme. C'est réglé le temps d'avaler sa bouchée.

— T'as jamais de blessures parce que tu fais jamais rien.

Ça aurait pu clore la conversation, mais Nathalie ne semble pas convaincue. Laura prend la fourchette en plastique dans la barquette à salade, la glisse dans sa bouche et la sort en serrant les lèvres pour y enlever l'huile d'olive et les épices. Elle la plante d'un geste vif dans l'avant-bras de son amie. Nathalie crie, sursaute, se lève et trébuche. Elle observe son bras et se rassoit. Les quatre égratignures saignent légèrement et ne semblent pas vouloir se guérir mystérieusement.

— Bon, OK. T'as raison. Il était temps que je te rencontre, toi, on dirait que tu réponds à tous mes questionnements existentiels.

— Et la consultation est gratuite. Les coups de fourchette aussi !

Elles s'esclaffent et Laura ramasse ses affaires pour retourner travailler.

— Tu viens me rejoindre quand je finis tantôt ? Pour ta dernière soirée à Sienne, on fait la fête !

— Bien sûr !

Nathalie reste assise et examine les quatre points rouges sur son bras. Ça lui donne une idée de souvenir à rapporter au Québec.

+++

Alleluia ? crucifixion ? eucharistie ? chapelet ? rédempteur ? samaritain ? apocalypse ? La boîte de craquelins est vide et le San Pellegrino terminé depuis longtemps. Peu importe, Gianluca sait que Dieu lui viendra en aide. *Par votre persévérance, vous sauverez vos âmes*[6]. Judas ? Corinthiens ? Il se secoue les doigts pour les dégourdir. Psaumes ? archedenoé ?

---

6. Luc 21, 19

+++

Elle cherche à se rendre au 4 de la rue Roma et c'est plutôt bien parti. Avec son plan de la ville plié juste comme il faut, qu'elle consulte à l'occasion sans avoir besoin de l'appuyer sur un mur pour le déployer au complet, Nathalie tourne sur les bonnes rues et va dans la bonne direction. Elle trouve dommage que son voyage s'achève alors qu'elle serait enfin capable de se rendre de la *Piazza del Campo* jusqu'au *Duomo* sans s'égarer en chemin.

Sur la rue Pantaneto, elle passe devant *Alimentari latte fresco* et s'y arrête pour acheter un jus ou n'importe quoi de rafraîchissant et de bien frais. Un détail qu'elle passe près de ne pas voir la fait s'arrêter brusquement. La photo du journal, celle où elle a ses faux stigmates, est affichée à la porte. Elle pousse un « *What the fuck?* » bien senti avant d'entrer.

Elle trouve le réfrigérateur et se dirige vers le comptoir avec une grande bouteille de limonade. Le commis, sans se presser, pose son journal et se lève de son tabouret pour s'approcher de la caisse. *Perché la fotografia di me in la vetrina? Pourquoi la photo de moi dans la vitrine?* Sa syntaxe n'est pas parfaite, mais la phrase lui est venue d'instinct, sans même qu'elle consulte son dictionnaire. Plutôt que de lui répondre, le caissier fait de grands gestes à quelqu'un que Nathalie ne voit pas.

— Hé, madre! Vieni qui! È Santa Natalia! In la alimentari!

Une vieille dame sort de l'arrière-boutique et son air dubitatif se transforme dès qu'elle aperçoit la cliente. C'est le branle-bas de combat. Elle donne des instructions à son fils d'une voix surexcitée, rajuste ses vêtements et se coiffe avec les doigts, embarrassée comme si le pape Benoit XVI venait la visiter et qu'il la trouvait en nuisette transparente. Le fils fouille sous le comptoir et en sort un vieil appareil Polaroid en plastique blanc jauni pendant que la dame s'épanche dans de grands gestes, prenant à peine le temps de respirer entre ses phrases, qui concernent toutes Nathalie, l'admiration qu'elle a pour elle, les prières qu'elle lui adresse, et ce psoriasis qui disparaît peu à peu grâce à ses fabuleux pouvoirs. Elle s'approche de Nathalie et, soudainement muette d'admiration, lui caresse le bras et la regarde avec de la tendresse dans les yeux. Nathalie profite de l'accalmie pour ouvrir la bouteille et en boire quelques gorgées. C'est bien beau se faire vénérer, mais ça n'enlève pas la soif.

La dame remarque la main de Nathalie et repart de plus belle. Ses stigmates sont guéris! *Miracolo!* Nathalie a beau lui expliquer que ce n'était qu'un travail bâclé de retouche de photo, rien n'ébranlera jamais ses croyances. Dieu existe, Il est juste et bon, et Il lui fait l'honneur de lui envoyer une sainte ici, dans sa modeste épicerie, pour guérir son psoriasis et, accessoirement, se laisser prendre en photo. Elle lui tâte l'avant-bras, fascinée par ce nouveau stigmate qui ressemblerait presque à un coup de fourchette.

— È veramente incredibile!

La dernière fois qu'elle s'est emballée de cette façon, c'était lors de sa visite à Montserrat, il y a plus de dix ans, en touchant l'étrange boule de quille posée dans les mains de la vierge noire. Comme elle se plaît à le dire aux clients, c'est ce pèlerinage religieux qui aurait mis fin à ses vaginites à levure.

Ils auraient sans doute préféré qu'une auréole lui apparaisse autour de la tête pour la photo, mais ils cachent bien leur déception et laissent finalement partir Nathalie, non sans l'avoir chaudement serrée dans leurs bras, en insistant pour qu'elle ne paie pas sa boisson. *Gratis, gratis,* ils lui offrent même un paquet de gommes à la fraise mais non, ils exagèrent, elle ne peut pas accepter, c'est trop. Elle refuse cet autre cadeau en réussissant à garder son sérieux et sort du commerce en les saluant.

Encore étourdie par cette rencontre, Nathalie poursuit son chemin et passe une buanderie, un café et une boutique de vêtements qui ont tous sa photo en vitrine. Ça devient embarrassant.

Elle est agréablement surprise et surtout rassurée de ne pas voir sa photo dans la vitrine de la boutique qu'elle cherchait. Elle aurait probablement passé son chemin. Elle termine sa limonade et entre dans la salle d'attente climatisée du *Confessionale Tattoo Parlor.*

+++

Genèse, ai-je essayé Genèse? PadrePio69? qwerty? fuckyou? batman? blowjob? pussy? bigbadwolf? suckit? jerkoff? starwars? analfuck? hairyass? *Vais-je y passer la nuit?*

+++

Chez les Petrone, les Donatelli tentent de comprendre la situation, mais les parents d'Elio ne savent pas ce qu'ils pourraient dire pour les aider. Un jour leur fils a disparu, un autre jour il sonnait à la porte avec une Bible à la main. Et il refuse toujours d'expliquer où il était et ce qui lui est arrivé. Les médecins insistent pour dire que, malgré l'urgence de la situation, ça pourrait être dangereux pour sa santé mentale de le contraindre à raconter les évènements de la dernière semaine.

Ugo regarde ses parents et ceux d'Elio discuter en buvant du café, assis face à face dans les divans du salon, et sait très bien que cette conversation ne mènera à rien. Les uns sont paniqués à l'idée d'avoir perdu leur fils, les autres sont dans la félicité des retrouvailles. Il se lève et demande poliment qu'on l'excuse pour aller aux toilettes. Il monte l'escalier qui mène à l'étage et passe sans s'arrêter devant la salle de bain. Il entre dans la chambre d'Elio, qu'il trouve concentré sur des Évangiles dont il peine à saisir le sens, et ferme la porte derrière lui.

— Salut, morveux. Tu m'expliques ce qui se passe ?

— Je suis rentré dans le droit chemin. J'ai promis à Dieu de répandre la bonne parole.

— Lâche-moi avec tes conneries ! Je m'en fous de toi et de ton Dieu ! Je te parle de Vittore. Il lui est arrivé la même chose qu'à toi, alors tu vas me dire comment je fais pour le retrouver.

— Il y a rien qui arrive pour rien, Ugo. Ton frère va revenir quand ce sera le temps. Telle est la volonté de Dieu.

Ugo voit bien qu'Elio n'a pas envie d'en dire plus. Il se doutait que ça ne serait pas aussi facile. Dans un mouvement rapide et précis, il se jette sur lui et le renverse sur son lit. Il pose un genou sur sa poitrine et immobilise sa tête en le tirant par les cheveux. Il ouvre son couteau à cran d'arrêt et le lui agite sous le nez.

— Tu veux savoir c'est quoi la volonté de Dieu, tête de bite? Il m'a rendu visite ce matin et Il m'a dit: «Va voir ce petit connard d'Elio Petrone et s'il veut pas te dire comment retrouver ton frère, je te donne la permission de lui ouvrir la gorge d'une oreille à l'autre. Telle est ma volonté, alléluia.»

Difficile de savoir si c'est Dieu ou le couteau qui le rend volubile, mais Elio répond rapidement à toutes les questions.

Ugo, satisfait de son interrogatoire, sort de la chambre et passe par la salle de bain pour tirer la chaîne de la cuvette afin de rendre son alibi crédible. Il rejoint ses parents qui se préparent à partir. Il lui est difficile de les laisser dans l'ignorance, mais il préfère ne pas les mêler à cette histoire. Il veut surtout éviter que la police intervienne et leur dévoile par la même occasion quelques détails sur la vie criminelle de leur progéniture. Et puis ce n'est pas comme si Vittore était en danger de mort. Elio l'a bien rassuré là-dessus.

Dans la voiture, pendant que son père et sa mère, découragés, se demandent quoi faire, Ugo, assis à l'arrière, réfléchit à la suite des choses.

+++

Salvopio.

Le mot de passe était «salvopio». Gianluca pourrait pourtant jurer l'avoir essayé au début de la journée. L'idée ne lui était pas venue de dresser une liste et, par conséquent, il a passé son temps à refaire les mêmes tentatives. Mais la joie de voir l'ordinateur s'ouvrir enfin compense ces longues heures à jamais perdues.

Comme fond d'écran, le père Pio a choisi la croix de Saint-Damien, célèbre parce que les abdominaux surdéveloppés de Jésus ressemblent à une énorme bite en érection. Ça commence bien.

Gianluca ouvre tous les fichiers, un à un, et ratisse les documents et les photos. Le père Pio a souvent été transféré d'une paroisse à une autre, et les transferts servent habituellement à étouffer des scandales, alors le ventre de cet ordinateur doit bien contenir quelques petits trésors révélateurs de son passé trouble.

Mais non. Gianluca ne trouve rien d'illégitime, de scabreux ou même de simplement embarrassant. Il n'escomptait tout de même pas dénicher des photos du prêtre la main au cul d'une paroissienne ou en train de s'enfourner dans la bouche le pénis d'un adolescent extatique mais, n'empêche, il est déçu.

Sans trop d'attentes, il ouvre le navigateur Internet et en consulte l'historique. Intéressant. YouPorn, RawTube, Pornhub, American Apparel, FuckTube, YouPube… Gianluca grimace à s'imaginer le vieux vicelard se branler en regardant de la pornographie. Suicide Girl ? Seigneur Dieu, mais qu'est-ce que c'est que ce site ?

Il clique sur le lien, pas du tout certain de vouloir savoir ce que c'est. *Des filles mortes ? Des filles en train de se tuer ?* Il est rassuré de voir que ce n'est qu'un site pornographique de plus, à la différence que les filles qu'on y présente ne sont pas des anorexiques à faux seins comme c'est la norme, mais sont plutôt en chair ; des filles comme il en croise dans la vraie vie. Sauf qu'ici elles sont nues, écartillées, couvertes de tatouages, et qu'elles lui sourient. Le navigateur gardait en mémoire le mot de passe du père Pio, alors il ne se gêne pas et parcourt tout le contenu du site. Il fait défiler l'écran jusqu'en bas, puis remonte tranquillement. Une photo retient son attention. Juste à côté, le texte dit: «*MANARA wants to be a Suicide Girl*». Et cette Manara ressemble drôlement à Laura.

Il clique sur le lien qui conduit vers la série de photos. Pas de doute, c'est bien elle, nue, dans un champ, exhibant son corps tatoué qu'il a vu si souvent par le trou d'une serrure. Mais qu'est-ce que c'est que cette folie? *Padre* Pio qui se tripote devant des photos de sa sœur, ça fait beaucoup de découvertes à digérer d'un coup. Il éteint l'ordinateur et s'applique sur les mains une quantité considérable de gel désinfectant antibactérien.

Incapable de réfléchir à ce qu'il y a lieu de faire, il se jette à genoux, joint ses mains propres et douces et prie pour sa sœur, cette pauvre pécheresse condamnée aux ténèbres de l'enfer.

+++

Il n'y a personne au comptoir d'accueil et aucun client dans la salle d'attente. Les chaises des tatoueurs sont installées sur une mezzanine et cet étage semble tout aussi désert. Elle lance un timide «Allo» qui reste sans réponse, mais la curiosité la pousse tout de même à s'asseoir pour feuilleter les portfolios des employés.

Elle contemple un modèle qui lui plaît au moment où un homme d'une quarantaine d'années entre en sifflotant, un gros café à la main. Il s'étonne de la voir là mais lui sourit et dit quelque chose qu'elle ne comprend pas. Il s'approche d'elle et le répète en anglais : il s'excuse mais la boutique est fermée le lundi, il n'est là que pour s'occuper un peu de la paperasse.

Il remarque l'illustration que Nathalie regardait et approuve son choix. Elle avoue que ça lui rappelle quelque chose mais n'arrive pas à savoir quoi. Il s'accroupit près d'elle et lui explique que c'est le fer de proue d'une gondole, avec ses six pointes d'un côté qui représentent les quartiers de Venise. Elle est conquise, voilà, c'est ce qu'elle veut. Il hoche la tête pendant qu'elle l'observe avec attention. Cheveux courts, teint bronzé, elle remarque aussi ses mains larges et rudes et se prend à se demander quel effet ça ferait s'il s'en servait pour lui écarter les cuisses et... elle secoue la tête et reprend vite ses esprits. Il lui suggère de revenir le lendemain après-midi, les tatoueurs y seront et c'est une journée généralement tranquille, sûrement que quelqu'un pourra s'occuper d'elle. Nathalie se lève et se prépare à partir, disant qu'elle manque de chance, son voyage tire à sa fin et demain, à cette heure-là, elle sera déjà en route vers Montréal. Le tatoueur réfléchit un instant, regarde l'heure et lui dit que dans ce cas, on ne peut pas la laisser repartir comme ça. De toute façon, ajoute-t-il, c'est lui le meilleur. Il lui demande si c'est la première fois et lui envoie un sourire malicieux en entendant la réponse.

— *So, you're a virgin ! I like that.*

Il prend le cartable qui contient le tatouage et invite Nathalie à monter à la mezzanine. Elle le suit sans pouvoir s'empêcher de remarquer qu'il a de jolies fesses que son jean usé souligne à merveille. Elle rougit.

— By the way… My name is Frank.

Elle se présente et se réjouit qu'il ne se jette pas à ses pieds en entendant son nom. Il semble même ne jamais avoir entendu parler d'elle. Un bon point pour Frank.

Ils décident d'un commun accord de faire le tatouage assez grand, dans son dos, du côté droit. Frank prépare le travail. Il manipule ses appareils, déplace ses pots d'encre et ses machins sous l'œil curieux de Nathalie. Elle se surprend de l'aisance avec laquelle elle s'exécute sans être intimidée quand il lui demande de retirer son chandail, de dégrafer son soutien-gorge et de s'installer sur la chaise. Elle a le cœur qui bat un peu plus vite que d'habitude mais, sinon, ça va.

L'exécution de l'œuvre prend un peu plus de deux heures et elle se laisse faire avec courage, en gémissant à peine quand il touche des zones plus sensibles. Et le résultat l'enchante. Elle est très heureuse de rapporter un souvenir de Sienne mais aussi de Venise, et de Laura, en quelque sorte, sans qui l'idée ne lui serait jamais venue de faire une folie pareille. Elle a d'ailleurs très hâte de lui montrer le chef d'œuvre et s'excite devant le miroir en se tordant le cou pour mieux l'observer tandis que Frank y étend de la pommade en prodiguant des conseils d'entretien qu'elle écoute à peine.

Elle lui parle de Laura pendant qu'il se lave les mains et elle apprend que c'est lui qui a fait tous ses tatouages ; il les décrit dans le détail sans se tromper sur l'endroit où il les a faits. Il contemple son œuvre une nouvelle fois, satisfait de son travail, et prend quelques photos avant d'y mettre une pellicule plastique pour éviter que Nathalie ne salisse ses vêtements. Il lui tend son chandail et, plutôt que de le prendre, elle laisse le désir la guider et s'accroche au jean de Frank. Elle le déboutonne sans qu'il oppose de résistance et elle y plonge une main. Elle en sort une grosse queue, large et circoncise, déjà en semi-érection, et la glisse dans sa bouche. Elle fait descendre son jean jusqu'à terre pour mieux lui caresser les couilles et les fesses et il gémit un « *Oh yeah* » qui encourage Nathalie à le sucer goulûment.

Elle ne sait pas ce qu'il a, ce Frank, mais il l'excite follement. Peut-être est-ce le fait qu'il ne comprend pas un mot quand elle parle en français qui la pousse à de tels élans grivois, mais elle lui balance un « fourre-moi ta belle queue bien au fond » qui la surprend elle-même. Debout devant une table, elle s'y agrippe pour mieux se pencher vers l'avant et lui offrir sa chatte, qu'il lèche de quelques grands coups de langue avant de la pénétrer.

Leur gymnastique se termine sur un coin de comptoir. Elle est assise et se caresse le clitoris tandis qu'il la pénètre à grands coups de bassin en lui léchant les seins, sans perdre le rythme, en la soutenant par les cuisses. Elle jouit rapidement et avec une puissance qui l'étonne ; elle lance des cris et des gémissements sans se retenir, ce qui pousse Frank à redoubler d'ardeur.

Voyant qu'il s'approche aussi de l'orgasme, elle le pousse pour qu'il se retire et s'agenouille devant lui. Elle glisse la bite mouillée de Frank entre ses seins, qu'elle empoigne et soulève de haut en bas. Il lui éjacule dans le cou, excité par le spectacle, et elle n'arrête son mouvement que lorsqu'elle voit qu'il a giclé sa dernière goutte.

Frank s'assoit par terre pour reposer ses jambes flageolantes. Il remercie le ciel pour cette agréable surprise, et passe le rouleau d'essuie-tout à Nathalie qui semble chercher un moyen de se débarbouiller. Elle n'en revient pas de ce qui vient de se passer. *Je suis donc ben cochonne !* Elle pouffe de rire et ne saurait expliquer la raison de son hilarité à Frank, qui pense probablement être tombé sur une obsédée sexuelle qui baise tout ce qui s'offre à elle.

+++

Le père Pio est plutôt satisfait de son nouveau MacBook. L'Église lui est venue en aide, il ne s'est donc pas gêné pour s'offrir aussi un iPhone et un iPad, des écouteurs et une nouvelle imprimante. Il a déjà visité la salle des trésors du Vatican, alors le vœu de pauvreté qu'on exige des prêtres, il l'a dans le cul.

Ces quelques jours au cours desquels il a été privé d'Internet lui ont suffi; c'est plutôt moche de devoir retourner aux revues pornographiques froissées une fois qu'on a connu pénis et vagins en vidéo haute définition.

On cogne à la porte. Son premier réflexe est de ne pas répondre mais, voyant qu'on insiste, il arrête la vidéo où s'ébattent trois jeunes lesbiennes dans un jacuzzi et ferme l'ordinateur. Il agrippe les vêtements noirs et la cagoule étalés sur son lit en prévision de sa sortie nocturne et les balance sous un oreiller. Il jette un dernier coup d'œil pour s'assurer que tout a l'air normal. Il ouvre. Gianluca Baggio est à sa porte, avec un sourire allègre qu'il s'est composé pour l'occasion. *Il faut vraiment que quelqu'un apprenne à sourire à ce petit gars*, pense Salvo Pio. *On croirait qu'il va se dégueuler les hémorroïdes.*

— Bonjour, mon Père ! Je vous rapporte votre appareil photo. Et vous ne devinerez jamais sur quoi j'ai mis la main !

Il brandit fièrement le MacBook qu'il cachait dans son dos et explique comment il a réussi à le récupérer des mains des jeunes voleurs de la *Piazza del Campo* à force de ruse, d'endurance physique et de détermination. Milo n'existe pas dans cette version de l'histoire.

Padre Pio le remercie et balance négligemment l'ordinateur sur son lit. Ce n'est qu'à ce moment que Gianluca remarque l'équipement neuf posé sur la table de travail. Avoir su, il aurait pris le temps de se livrer à un examen plus approfondi de la mémoire de l'appareil.

— Heureusement que je l'ai récupéré, non? Il doit y avoir beaucoup d'informations confidentielles, là-dedans!

— Rien d'inavouable, mais notre vie privée mérite toujours de le rester.

Gianluca lui sourit comme si cette réponse confirmait des choses qu'il savait déjà. Salvo Pio en reste perplexe. *Décidément, ce type n'est pas à son meilleur quand il sourit. Mais qu'est-ce qu'il me veut, au juste? Est-ce qu'il s'en va bientôt? Qu'est-ce qu'il a à regarder partout? Merde. Tous mes trucs dépassent de sous l'oreiller. Je lui claque la porte au nez ou je le balance par la fenêtre?*

— C'est pour quoi, cette cagoule? Vous êtes un ninja, ou juste un peu frileux?

— Bon. Je crois qu'il faut qu'on se parle, toi et moi.

Il tire Gianluca vers lui afin de fermer la porte et la verrouille d'un claquement sec et définitif.

+++

Laura verrouille la porte du campanile et rejoint Nathalie, debout au milieu de la grande place parmi les touristes, occupée à boire de l'eau à grandes gorgées à même une bouteille d'un litre. Elles se saluent et Laura constate à quel point son amie s'est transformée depuis leur première rencontre. Son style vestimentaire, oui, mais il y a autre chose aussi, bien qu'elle n'arrive pas à trouver ce que c'est exactement. Quelque chose d'intangible. Le port de tête, la posture, ou peut-être simplement sa façon d'être là, face au monde et aux évènements.

— Dis donc, ça a l'air de bien aller, toi ! C'est quoi, ce sourire mystérieux ?

— Frank te fait dire bonjour…

— Frank ? Frank, mon tatoueur ? Comment tu sais que je le connais ?

Nathalie se tourne et soulève son chandail tandis que Laura, excitée comme une enfant, décolle délicatement le bandage pour voir le tatouage. Elle la complimente et la félicite pour son courage.

— Il t'a pas fait trop mal, j'espère ?

— Non, non, il s'est très bien occupé de moi…

Laura regarde Nathalie dans les yeux pour voir si cette phrase pleine de sous-entendus veut dire ce qu'elle pense. Elle se résout à le lui demander franchement, mais est interrompue par Ugo Donatelli qui s'avance et s'excuse. Il lui demande si elle est bien la sœur de Gianluca Baggio.

— Oui, pourquoi ? Tu lui as volé quelque chose et tu voudrais le lui remettre ?

Ugo passe outre cette remarque désobligeante et explique du mieux qu'il peut ce qu'il sait : la disparition d'Elio, son retour inattendu quelques jours plus tard, subitement transformé en évangéliste, et puis l'enlèvement de Vittore, embarqué de force dans une C3 plutôt voyante par quelqu'un qui ressemblait fort à Gianluca. Les questions de Laura et de Nathalie se bousculent et Ugo n'a aucune réponse satisfaisante à leur donner. Mais il a une adresse, à San Vincenzo, qu'il a soutirée à Elio Petrone, en échange de *ne pas* lui crever les yeux.

Nathalie suggère de laisser la police s'occuper de tout ça, mais Laura ne croit pas trop aux allégations du gamin et ne voit pas pourquoi elle mettrait les autorités aux trousses d'un membre de sa famille. À ce qu'elle sache, Gianluca est un peu bizarre, oui, endoctriné, très certainement, mais elle l'imagine plutôt mal en ravisseur d'enfants. *Bien sûr, il a toujours été réservé. On ne sait jamais à quoi il passe ses soirées, enfermé tout seul dans sa chambre. Et puis je l'entends souvent revenir très tard la nuit depuis quelque temps. Mais de là à commettre des crimes alors qu'il a toujours tout fait pour être dans les bonnes grâces de son Dieu tout-puissant?* Plus elle y réfléchit, plus tout ça lui semble invraisemblable. Le mieux, se dit-elle, c'est d'investiguer au plus vite pour éclaircir cette étrange histoire. Ce sera réglé en quelques heures.

— Premièrement, allons voir si mon frère est à la maison. Si on le trouve pas, on ira à San Vincenzo. Qu'est-ce que t'en dis, Nathalie? Une petite balade à travers la campagne pour aller voir la mer?

— Mmm. C'est bien beau, aller voir la mer, mais c'est la partie où on va cogner à la porte d'une bande de kidnappeurs qui me rend moins enthousiaste.

— J'y vais avec vous!

Ugo a eu beau lancer sa phrase avec détermination, son air malingre ne les a pas convaincues de sa capacité à affronter les situations périlleuses. Nathalie a une bonne idée. Elle pointe Milo à Laura. Il arrive cinq minutes après la fermeture, comme d'habitude, pour s'assurer que tout se passe bien. Il se colle le visage sur la porte vitrée à l'entrée du campanile et se fait des œillères avec les mains pour tenter de voir à l'intérieur.

— Avec un agent de sécurité, on serait plus en sécurité...

Milo n'est pas très menaçant, mais Nathalie veut l'inviter surtout parce qu'elle voit bien, chaque fois qu'ils sont ensemble, les regards qu'il envoie à Laura. Il y a de la tension sexuelle dans l'air mais aucun des deux ne semble susceptible de faire le moindre pas vers l'autre.

Laura lui fait de grands signes et l'appelle par son nom pour qu'il vienne les voir. Ça lui prend un moment pour comprendre d'où provient la voix. Il tourne la tête d'un côté et de l'autre avant de les repérer, c'est à se demander s'il n'est pas un peu idiot. Mais il finit par s'approcher du petit groupe. Sa démarche volontaire, main sur la matraque et moustache au vent, leur redonne un peu confiance.

+++

Gianluca est introuvable. Laura a pu emprunter la voiture de ses parents, alors l'expédition s'organise. Ugo et Milo prennent place sur la banquette arrière, pour laisser Nathalie s'asseoir à l'avant, avec Laura. Ils sont prêts à partir, pour peu que Nathalie veuille bien entrer dans la voiture. C'est Ugo qui se décide à poser la question.

— Dites, elle va bien, votre amie ?

— Eh merde. Restez ici, je reviens dans une minute.

Elle rejoint Nathalie, assise dans les marches à l'entrée de la maison, occupée à se mordiller la lèvre inférieure en regardant droit devant elle. Laura s'assoit à ses côtés, sans rien dire.

— Je peux pas. Si j'embarque derrière, ça va aller. En avant, je peux pas. Je le sais bien que ce serait bon pour moi, qu'il faut que j'affronte mes peurs, mais ça peut pas attendre un autre jour? Ou bien on essaie ça: je m'assois en arrière pour y aller, et puis on verra pour le retour?

Laura reste silencieuse. Elle ne pourrait que lui répéter ce qu'elle lui a déjà dit: elle sera prudente et respectera les limites de vitesse, il y a des ceintures de sécurité dans l'auto et pas de glace sur les routes. Lui dire une fois encore que ça n'a rien à voir avec ce qu'elle a vécu dans sa jeunesse. Que personne ne va mourir. Mais elle sait bien que pour Nathalie, cette épreuve lui est plus pénible encore que d'affronter sa claustrophobie dans un campanile.

— Je vais rejoindre les autres. On part dans deux minutes. Si tu veux pas venir, c'est pas grave.

Laura s'éloigne et remonte dans la voiture. Il ne s'écoule pas plus de quinze secondes avant que Nathalie les rejoigne. Elle entre, claque la portière et boucle sa ceinture. Elle s'assure d'être bien attachée. Trois fois plutôt qu'une.

— OK, go. Vas-y avant que je change d'idée. Et si je me mets à hurler, dis à l'autre de m'assommer avec sa matraque.

Laura rit de bon cœur et répète en italien à Milo ce que Nathalie vient de lui dire. Elle démarre en écoutant ce que Milo lui raconte.

— Tonfa.

— Quoi ?

— Il fait dire que c'est pas une matraque, c'est un tonfa.

— Ah.

Nathalie regarde Milo, qui tient son arme dans ses mains comme si c'était l'enfant Jésus, pour qu'elle puisse en admirer tous les détails. Elle hausse les épaules et reporte son attention sur la route.

Pour l'instant, ça va. Elle prend tout de même soin de verrouiller sa portière, au cas où l'envie de sauter en marche lui viendrait. Elle pousse la climatisation au maximum, réoriente les sorties d'air, cherche une station de radio qui fait jouer autre chose que des merdes des années quatre-vingts, elle se change les idées en tripotant tout ce qui est tripotable.

Ils sortent de la ville en un rien de temps et filent sans encombre vers San Vincenzo. Nathalie doit reconnaître que l'expérience n'a rien de terrifiant. Et c'est bien là sa plus grande surprise. Trente années passées à voyager en voiture seulement quand c'était absolument nécessaire, et ne le faire qu'assise sur la banquette arrière, agrippée à la portière, les yeux écarquillés pour être certaine de bien voir la mort quand elle arrivera. Et puis se retrouver là, dans la campagne italienne, à regarder défiler les champs de chaque côté de la route étroite, remarquer au passage des chevaux par-ci, un envol de montgolfières par-là, se laisser porter par la conversation et les rires de ses compagnons de route, à se dire que la vie continuait pendant tout ce temps, malgré son entêtement à ne pas vouloir en faire partie.

Elle profite de l'ambiance détendue et demande si on ne pourrait pas s'arrêter quelque part pour manger. Elle ne voudrait pas froisser Ugo en lui laissant croire que le sauvetage de son frère n'est pas une priorité mais, tout de même, s'il faut sauver des gens, aussi bien prendre des forces avant de se jeter dans la mêlée. Les réactions sont enthousiastes ; même les héros doivent se nourrir, et Ugo veut en profiter pour appeler ses parents afin de les rassurer, leur dire que tout se passe bien. Officiellement, il dort chez un ami. Et ça lui a coûté de longues minutes de négociations ardues pour avoir ce privilège.

Ils changent donc de cap, direction Massa Marittima, un village médiéval qui semble charmant mais qui, géographiquement parlant, n'a rien de maritime.

+++

Assise devant une montagne de bucatinis sauce à la viande et un ballon de rouge, Nathalie écoute Milo parler de son tonfa, Ugo raconter comment il va découper les kidnappeurs en rondelles avec son couteau et Laura élaborer des plans de sauvetage alambiqués.

Sa vie prend des allures de film d'action. Ou de film à suspense, peut-être. Un suspense religieux, à supposer que ça existe. *Qui sait où un concours sur un sac de pain peut vous mener*, pense-t-elle, pendant qu'une amourette entre Laura et Milo semble naître sous ses yeux. L'une vient de tirer la moustache de l'autre pour s'assurer que c'est une vraie, et les deux rient plus que nécessaire.

Le litre de vin s'est bu si vite qu'il a bien fallu en commander un deuxième. Les trois adultes se sont entendus tacitement pour laisser boire Ugo sans lui faire la morale ; ça les aide à se déculpabiliser d'être là à rigoler et à faire la *dolce vita* pendant qu'il y a le petit frère qui attend d'être sauvé.

Mais il ne faudrait pas brûler d'étapes. Il y a ce vin à boire, d'abord, et ensuite il faudra attendre que la conductrice soit en état de conduire. Une chose à la fois.

+++

Gianluca s'est fabriqué une cagoule de fortune avec un sac d'épicerie en jute et du ruban adhésif. Ses habits de cambrioleur ne sont pas aussi raffinés que ceux du père Pio, mais l'idée est surtout d'éviter de se faire reconnaître. Ils sont entrés sans se faire voir dans le jardin derrière la villa Cornetto et examinent le treillis métallique qu'il leur faut maintenant escalader pour rejoindre le balcon, à l'étage, qui donne sur le petit salon. Gianluca ne comprend toujours pas comment il a pu se laisser entraîner dans une mission aussi éloignée de ses champs de compétence.

— Pourquoi on rentre pas tout simplement par en bas ? On risque pas de se casser la gueule, en grimpant là-dessus ?

— Le chien, Gianluca, le chien. Cette saleté m'aime pas du tout et nous laissera sûrement pas passer. Si on arrive par en haut, il va penser que tout est normal, que c'est rien de plus qu'un client de la villa qui s'agite pendant son sommeil.

— Ah bon.

— Fais-moi confiance.

Gianluca ferait plus aisément confiance au chien qu'au père Pio, mais il s'abstient de commenter. Il s'approche du treillis et en entreprend l'ascension, puisque Pio, apparemment, n'est pas pressé de le faire. Pour l'instant, ça semble assez solide.

C'est à peine s'il voit où il s'en va, à cause des trous de sa cagoule, plutôt petits et pas tout à fait alignés avec ses yeux. Il y a là un certain avantage ; si sa vue était dégagée, il apercevrait sans doute les grosses araignées velues qui s'agitent dans le lierre chaque fois qu'il y plonge les mains pour chercher un appui. Il y a des créatures de Dieu qui le dégoûtent plus que d'autres et, grâce à cette cécité partielle, il s'accroche et grimpe plutôt que de s'enfuir en poussant des cris de terreur.

C'est avec les vêtements trempés qu'ils arrivent sur le balcon. Ils ont chaud mais résistent à l'envie de se débarrasser de leur cagoule, malgré les gouttes de sueur qui leur piquent les yeux. *Padre* Pio s'assure que son appareil photo n'a pas été endommagé dans l'expédition ; il entend bien rapporter des images prouvant qu'il se passe des évènements miraculeux à Sienne. C'est qu'il a eu beau mettre la chapelle de Santa Maria sous observation pendant plusieurs jours, les caméras n'ont rien capté d'inhabituel. Son honneur est en jeu, et il n'a pas l'intention d'abandonner aussi facilement cette occasion d'attirer les pèlerins à Sienne. Gianluca, de son côté, serait satisfait si Nathalie lui révélait le secret de ses tours de magie. Mais il n'est pas certain que c'était une bonne idée d'accompagner le prêtre dans cette aventure. Dans le cas où la touriste est coopérative, tout sera vite réglé, mais les chances que ça tourne mal lui semblent plutôt élevées.

Salvo Pio passe devant et tente d'ouvrir la porte pour entrer dans le salon. Elle résiste.

— *Santa merda.* Mais pourquoi est-ce qu'ils gardent la porte du balcon verrouillée? Ils ont peur que quelqu'un entre par ici, ces cons?

— Ils ont peut-être pas tort…

— Ouais, bon. N'empêche.

Padre Pio s'agenouille devant la porte et sort de son sac à dos une pochette de cuir remplie d'outils.

— Une question me paraît plus intrigante encore: « qu'est-ce qu'un curé peut bien faire avec une trousse pour crocheter les serrures? »

— Arrête de poser des questions et fais le guet pour éviter qu'on se fasse tirer dessus.

Gianluca frémit rien qu'à l'idée. Il ajuste sa cagoule pour mieux surveiller les environs.

+++

— *Tu vuò fa l'americano, mmericano, mmericano, ma si nato in Italy! Siente a mme, non ce sta' niente a ffa, o kay, napolitan! Tu vuò fa l'american! Tu vuò fa l'american!*

Ils ne sont plus que six dans le restaurant: eux quatre, le vieux cuisinier et le propriétaire, qui a sorti l'accordéon, le limoncello artisanal et qui distribue des cigarillos. *Bella ciao, Volare, Gigi l'amoroso, O sole mio, Come prima,* tout le répertoire y passe pendant que se vident les verres, dans une cacophonie de voix fausses et de percussions improvisées.

Ugo, fin soûl, se souvenant à peine de ce qui l'amène à Massa Marittima, enseigne quelques pas de danse à Laura, entre deux fous rires. Elle suit tant bien que mal, surtout mal, sans pour autant perdre de sa grâce.

Nathalie s'étouffe et crache en riant un petit nuage de fumée de cigarillo, pendant que Milo passe entre les tables en faisant du *moonwalk*.

+++

Gianluca a la forte impression que son complice n'a jamais appris à se servir de ses outils. Crocheter la porte du balcon a pris un temps fou, et voilà qu'il s'attaque à la porte de la chambre de Nathalie, sans plus d'assurance mais avec d'infinies précautions pour éviter qu'elle se réveille. Gianluca craint d'y être encore au lever du jour et il commence à s'impatienter.

— On pourrait cogner, ça nous ferait gagner du temps.

— Cogner ? T'es pas un peu malade ? On va certainement pas cogner !

— Pourquoi pas ? Ça éviterait le risque qu'elle panique en nous voyant entrer par effraction dans sa chambre et qu'elle se mette à hurler.

— Ah, oui. Bien sûr. C'est certain que deux personnes cagoulées qui cognent poliment à sa porte en pleine nuit, ça risque pas du tout de la faire paniquer.

— Bon, bon. OK. Mais si vous pouviez accélérer un peu…

Salvo Pio se remet au travail. Il n'a effectivement aucune idée de ce qu'il fait, mais il est trop orgueilleux pour le laisser paraître. Pour tout dire, il a autant envie que Gianluca d'ouvrir cette saleté de porte à grands coups de pied, qu'on en finisse.

+++

Les policiers ont décidé de prendre l'appel anonyme au sérieux. Plutôt que de se rendre à Massa Marittima pour interroger cette supposée voyante au drôle d'accent français, ils ont filé droit vers San Vincenzo, à l'adresse qu'elle leur a donnée. Douze policiers dans six voitures de patrouille. Une petite armée prête à l'action.

Toutes les issues sont surveillées. Au signal, quatre policiers s'élancent vers l'entrée. Deux agents défoncent la porte d'un seul coup de bélier en métal et entrent à la suite des deux autres, qui ont déjà inspecté le grand salon et se dirigent vers la cuisine et la salle à dîner, l'arme à la main, prêts à faire feu sur le moindre suspect qui aurait la mauvaise idée de bouger. Toujours rien. Ils avancent rapidement dans le corridor. Personne dans la salle de bain, ni dans le bureau. Dans la première chambre, une petite blonde d'une dizaine d'années. La fille des propriétaires de la maison, si le dossier est juste. Dans la deuxième chambre, des lits superposés, de la place pour quatre, mais un seul lit est occupé par un adolescent. Vittore Donatelli, selon toute vraisemblance. Il ne reste plus qu'une pièce à cet étage. La chambre principale. Le temps d'une respiration et quatre policiers prêts à tirer encerclent le lit. Nunzio et Luisa Riina. Les deux sont assis, déjà avec les mains en l'air. De jeunes quadragénaires, nus et bronzés dans leurs draps blancs, l'air sain et épanoui, pas du tout des gueules de criminels. Au-dessus du lit est accroché un large tableau représentant le Christ entouré d'enfants, éclairé par la lumière verdâtre de son auréole.

Vittore n'était pas en captivité, ces deux-là ont de grands sourires angéliques, les policiers ont bien hâte de comprendre ce qui se passe dans cette maison de dingues.

À l'extérieur, les équipes des chaînes d'informations installent leurs caméras.

+++

Tout ça pour rien.

Ils sont assis sur le lit, dans l'obscurité, et leurs cagoules, dont ils se sont débarrassés, traînent à leurs pieds. Ils n'ont toujours pas prononcé un mot, trop frustrés d'avoir oublié de vérifier ce détail avant d'entamer leur périlleuse mission.

— Je peux peut-être prendre quelques photos ? Tant qu'à être ici ? Ça nous fera des souvenirs.

Padre Pio regarde Gianluca sans répondre. Il s'en fout. Il lui tend l'appareil et se lève pour aller boire de l'eau à la salle de bain.

— C'est quoi, ça ?

Il revient sur ses pas afin de savoir pourquoi Gianluca s'énerve.

— C'est pas comme ça. En ce moment, t'es en mode pour visionner les photos qu'il y a dans l'appareil. Pour en prendre, il faut appuyer…

— Pourquoi est-ce qu'il y a des photos de ma sœur à poil, là-dedans ?

Padre Pio se penche pour mieux voir. Effectivement, doit-il reconnaître, ça ressemble bien à Laura. Nue.

— Tu vas m'expliquer ce qui se passe, vieux cochon ?

— Eh, oh. On se calme. Je tiens à préciser que le dernier à s'être servi de l'appareil, c'est toi.

— C'est Laura ! Elle a dû faire les photos avec Nathalie Duguay.

— Mmm. Elles se sont bien amusées, dis donc.

Gianluca prend son élan et lui envoie son poing en pleine gueule.

— T'as fini de regarder ma sœur, gros porc ?

— Hé, relaxe ! C'est toi qui m'as mis les photos de sa chatte sous le nez !

— De toute façon, à ce que j'ai pu constater, tu passes tes journées à regarder de la pornographie sur Internet ! Sa chatte, tu l'as sûrement déjà vue sur le site des Suicide Girls !

Pio accuse ce choc aussi violemment que le coup de poing qui a précédé.

— T'as fouillé dans mon ordinateur, petit con ? Mais tu te prends pour qui ? T'es pas un peu malade ? Ça te donne un sentiment de puissance, de fouiller l'intimité des gens, de lire leurs courriels ?

Ses courriels. Porca miseria ! J'ai oublié de regarder ses courriels. Salvo Pio s'approche avec l'intention de se jeter sur Gianluca, qui le prend de vitesse et se réfugie de l'autre côté du lit. Il menace de lui balancer son appareil photo au visage s'il s'avise de faire un pas.

C'est ce brouhaha qui décide Zerbino, qui grognait depuis un moment au pied de l'escalier, d'y aller franchement et d'aboyer avec toute l'agressivité dont il est capable. Et c'est plus que suffisant pour réveiller les propriétaires et tous les clients de la villa.

La réconciliation sera pour une autre fois, peut-être. Pour l'instant, c'est surtout chacun pour soi, direction la sortie. Laissant les cagoules sur le plancher, sans se donner la peine de refermer les portes derrière eux, ils s'accrochent au treillis, de part et d'autre du balcon, en arrachant des branches de lierre au passage. Si c'était une course, Gianluca serait déclaré gagnant, mais avec seulement une légère avance sur son concurrent, encombré par son sac dans lequel il a remballé à la hâte son appareil photo et ses outils.

Les deux se retrouvent, quatre rues plus loin. À bout de souffle.

— Bon, on fait quoi, maintenant ?

— « On » fait rien. Moi je retourne au presbytère, et toi tu me fous la paix.

— Vieux branleur.

— Jeune idiot.

— Débris.

— Morveux.

— Cadavre.

— Taré.

— Charogne.

— Fausse couche.

Un aboiement dans une cour tout près leur rappelle qu'ils sont en fuite. Ils mettent fin à leur joute verbale et se séparent en filant dans la nuit.

+++

— Hé, regardez ! C'est mon frère !

Tout le monde dans le restaurant se retourne d'un même geste vers le téléviseur accroché au mur, qui diffuse ses images en silence. Milo s'en approche et monte le volume. Vittore et une jeune fille blonde sont escortés par des policiers jusqu'à une ambulance. Ils ne semblent pas blessés. Une journaliste, devant la maison de San Vincenzo, communique en direct les informations à propos de ce qui semblait être un camp religieux clandestin tenu par un couple dont le mari est un prêtre défroqué. Ils auraient affirmé accueillir des fugueurs et profiter de leur passage pour leur enseigner l'Évangile. Les enfants n'étaient séquestrés d'aucune façon et étaient ramenés chacun chez eux dès qu'ils s'y sentaient prêts. « Ce n'est que l'amour et le plaisir du partage qui les retenaient chez nous », aurait déclaré la femme.

Ça confirme ce que Laura savait déjà : son frère n'a rien à voir dans cette histoire. Ugo est déstabilisé, il a un peu de difficulté à croire que Vittore puisse s'intéresser à Jésus.

— *Merda !* On aurait dû arriver avant la police ! Je leur aurais ouvert le bide !

Nathalie sourit. C'est précisément pour cette raison qu'elle s'était éclipsée un moment afin d'appeler les policiers d'une cabine à l'extérieur du restaurant. Avec Ugo qui se vantait du carnage qu'il allait faire avec son couteau et l'autre qui agitait sa matraque devant eux à tout moment avec des yeux brillants, elle se disait que l'affaire allait mal se terminer s'ils tentaient eux-mêmes de sauver Vittore. Ce coup de téléphone est un petit secret qu'elle gardera pour elle.

Ugo sort téléphoner à ses parents pour être certain qu'on leur a appris la bonne nouvelle. C'est presque un deuil pour Milo; l'heureux dénouement de cette histoire ne lui a pas laissé la chance de se servir de son tonfa. Portée par l'ivresse du limoncello, Laura décide de lui faire oublier un instant sa saleté de matraque. Elle s'assoit sur ses genoux et se serre contre lui. Le message pouvant difficilement être mal interprété, il ramasse son courage et prend la suite des choses en main. Il colle sa bouche à celle de Laura, et les nouveaux amants partent dans un monde magique où plus rien n'existe que leurs corps soudés l'un à l'autre et leurs langues qui s'entremêlent. Nathalie se retient d'applaudir.

Le vieux cuisinier renverse les chaises et les pose sur les tables. Le propriétaire range son accordéon. Il est deux heures quinze du matin et la fête tire à sa fin. Ça ne semble pas préoccuper ses compagnons, mais Nathalie se demande comment ils vont s'y prendre pour rentrer à Sienne. Au moment où elle pense demander au propriétaire s'il y a une auberge dans les environs, Ugo revient et les informe que ses parents sont fous de joie, que tout est bien qui finit bien, à part un seul petit détail: Vittore est dans une voiture de police, en route vers la maison. Il sera là dans moins de deux heures, et il faudrait qu'Ugo y soit aussi.

Laura, qui a généreusement sacrifié un peu de son temps d'échange de salive pour traduire les propos d'Ugo à Nathalie, se lève en s'appuyant aux tables et affirme d'une voix pâteuse qu'elle est en pleine forme pour conduire.

Ugo, Milo et Nathalie se mettent vite d'accord pour s'entasser tous les quatre dans un taxi. Laura n'oppose aucune résistance et reprend ses activités linguales avec Milo.

+++

Au commissariat de police, deux enquêteurs écoutent la déclaration de Nunzio Riina avec attention. Dans cette version simplifiée de l'histoire, Nunzio et sa femme ne sont rien de plus qu'une famille d'accueil pour fugueurs. Deux travailleurs sociaux avec une chambre d'ami pour héberger les âmes égarées. Sans eux, affirme-t-il, peut-être que ces jeunes se seraient définitivement enfuis de leur foyer. Mais une oreille attentive et un peu de compréhension sont souvent suffisants pour leur faire passer l'envie de disparaître dans la nature. Accessoirement, une lecture de quelques passages des Évangiles les aide à se rendre compte que fuir l'amour de leur famille n'est pas une solution à leurs problèmes, et ils retournent souvent à la maison après quelques jours passés dans la famille Riina. N'est-ce pas merveilleux?

Les policiers tentent de comprendre s'ils ont affaire à des criminels ou à des saints. Et Vittore Donatelli corrobore la version des faits. Il dit être allé à San Vincenzo de son plein gré, c'est son ami Elio qui lui a refilé cette adresse, il l'aurait eue lui-même d'un autre fugueur. Il avait l'intention d'y dormir une seule nuit avant de reprendre la route vers le sud, mais les Riina l'avaient convaincu de rester quelques jours avec eux pour parler d'amour, de famille et de Jésus.

Tous les jeunes qui ont séjourné chez les Riina ont appris par cœur cette version des évènements. Nunzio a toujours accepté de porter entièrement le blâme – si blâme il y a – en s'abstenant de dénoncer ses collaborateurs. Les jeunes comprenaient que Gianluca Baggio, son «préposé aux enlèvements», n'était là que pour les conduire à la maison de San Vincenzo et ils oubliaient de bonne grâce son intervention.

Très bizarre, cette histoire, se disent les enquêteurs, entre deux gorgées de café. Des gens aimables qui aident les autres par charité chrétienne. Des jeunes pâmés sur le Christ. Il y a de quoi trouver ça louche.

+++

Nathalie est la dernière à sortir du taxi. Elle paie la course et rentre à la villa, surprise de voir les Cornetto en pleine conversation avec deux policiers au milieu de la nuit. Ils se taisent dès qu'ils la voient approcher et un agent, dans un français baragouiné, lui explique ce qui s'est passé. Ils savent bien peu de choses, à vrai dire, sinon que des cambrioleurs se seraient glissés dans sa chambre et que Zerbino les aurait fait fuir. Elle observe les cagoules posées sur la table et en prend une pour mieux l'examiner. *Un sac d'épicerie. Avec des trous pour les yeux. Quel genre de personne est assez malade pour se promener avec ça sur la tête?* Ils montent tous dans sa chambre pour savoir ce qu'elle s'est fait voler.

Elle fouille mais constate vite que rien ne manque. Ça ne la rassure pas tout à fait. *Si c'était pas pour voler, qu'est-ce qu'ils venaient foutre ici?* Elle préfère croire à la version qui sera dans le rapport officiel plutôt que de se laisser gagner par la panique : sans doute qu'ils ont été dérangés par le chien avant d'avoir pu prendre quoi que ce soit.

— Oh ch'est un brave toutou, cha, madame !

Zerbino sent bien que ce commentaire de Nathalie lui est adressé et il n'est pas peu fier d'avoir sauvé la situation. Il bombe le torse et agite la queue, prêt à accepter les récompenses, en caresses ou en biscuits.

Giovanni se porte volontaire pour dormir dans le petit salon au cas où les malfaiteurs reviendraient. Il redescend pour s'équiper d'un oreiller, d'une couverture et d'un long couteau pointu. Les policiers, n'ayant rien de plus à se mettre sous la dent, font signer divers formulaires en plusieurs copies à tout le monde et partent vers de nouvelles aventures. La quiétude se réinstalle peu à peu dans la villa.

Nathalie referme sa porte et, ivre comme elle est, malgré les psychopathes à cagoules et les ravisseurs d'enfants qui pourraient se cacher dans l'ombre, s'endort dès que sa tête touche l'oreiller.

MARDI (HUMIDE)

Le chauffeur de taxi donne trois longs coups de klaxon, autant pour avertir sa cliente qu'il est arrivé que pour signifier aux badauds de s'écarter de son chemin.

— Mais c'est quoi tout ce bordel ?

— Je vous l'ai dit, mon amie est une star de Hollywood !

Nathalie, escortée par Flora et Giovanni Cornetto, traverse la foule et s'approche de la voiture. Le chauffeur actionne l'ouverture du coffre et Giovanni y dépose la valise. Nathalie serre les Cornetto dans ses bras, les remercie une fois encore, *grazie, grazie*, encore *grazie*, et rejoint Laura sur la banquette arrière. Elle ferme la portière en prenant soin de ne pas écraser les mains des exaltés qui tentent de la toucher pour une dernière fois.

— T'es trop fine de m'accompagner jusqu'à l'aéroport !

— Ben quoi? On allait pas se quitter comme ça! On récupère la bagnole à Massa Marittima et on s'offre une petite virée de magasinage à Rome, rien que toutes les deux!

— C'est parti! Et, pendant que j'y pense, si ça te tente de visiter le Québec à un moment donné, je pourrais t'héberger dans mon salon.

— Oui! Bien sûr que oui! Je veux voir si votre hiver est aussi dégueulasse qu'on le dit!

Le chauffeur appuie doucement sur l'accélérateur, le poing sur le klaxon, puis ajuste son miroir pour mieux observer ses clientes qui se sourient, pouffent de rire, mettent des points d'exclamation partout et se tapent dans les mains. Il cherche à se rappeler le nom de cette actrice venue d'Hollywood mais n'y arrive pas. Son visage lui est pourtant familier.

— Et aujourd'hui, on fête! Je t'annonce que, depuis ce matin, je suis officiellement une Suicide Girl!

— Wow! Bravo! Je suis certaine que la réaction du public va être bonne!

Nathalie imite le geste et le bruit d'un homme qui se masturbe et les deux rient, un peu pour rien, surtout à cause de leur fatigue de lendemain de brosse.

Elles baissent les vitres pour laisser le vent chaud entrer dans la voiture. Laura confie à Nathalie son intention de s'acheter plein de nouveaux sous-vêtements à Rome pour émoustiller son beau Milo. Elle le dit franchement: elle a envie de dessous chics et d'une langue entre ses cuisses. Se tripoter en solitaire, ça devient lassant. Nathalie approuve et, parlant de langue entre les cuisses, lui raconte enfin son aventure avec le tatoueur. Le chauffeur, qui épie la conversation, ne saisit qu'un mot ici et là et regrette âprement sa méconnaissance du français. *Les stars d'Hollywood sont de sacrées cochonnes.*

+++

Devant la villa, les gens refusent de s'en aller malgré qu'il n'y ait plus rien à voir. Ils ne peuvent accepter que leur Nathalie Duguay soit partie à jamais. Ils ont besoin d'elle. « Pourquoi nous as-tu abandonnés ? » scandent-ils en chœur, hébétés, en roulant des yeux fous et en se frappant la poitrine de leurs poings serrés.

Giovanni Cornetto a eu le flair d'appeler la police juste avant que l'émeute éclate. Mais ça n'empêche pas la foule d'ouvrir la grille, d'enfoncer la porte et de se ruer dans tous les coins de la villa en faisant main basse sur divers objets en criant son mécontentement. Dans l'ancienne chambre de Nathalie, le crucifix et la gravure de la Vierge Marie déguisée en vagin disparaissent rapidement dans des sacs à main. Et tout le reste aussi. Ce soir-là, quelqu'un, quelque part, vouera un culte au séchoir à cheveux arraché du mur.

Devant le nombre des pillards, Zerbino préfère abdiquer et se réfugier sous un bahut. Et puis merde, à quoi bon se battre si les maîtres ne se donnent même pas la peine de sortir les biscuits pour signifier leur appréciation.

La police arrive rapidement et la foule s'égaille mais, déjà, il ne reste plus le moindre objet dans la chambre sept.

+++

LES MIRACULÉS, VRAI, PAS VRAI?

Le mystère s'épaissit dans cette histoire de miracles attribués à la touriste canadienne Nathalie Duguay. Il y a eu d'abord les rétablissements on ne peut plus douteux de Giovanni Cornetto et de Luis de Stefano, le premier étant un des propriétaires de la villa où loge la présumée guérisseuse, le deuxième étant un ami du premier. L'hypothèse du canular s'est vite imposée, et on aurait pu oublier toute cette histoire.

Mais force est d'admettre qu'il se passe quelque chose de curieux à Sienne. Il y a maintenant le cas de Sabrina Lanza, 23 ans, aveugle depuis qu'elle a dix ans et qui vient de recouvrer la vue après un passage à la villa Cornetto. Il aurait suffi à Mme Duguay de poser ses mains sur les yeux de l'aveugle pour la guérir.

Dans la foule grandissante qui s'attroupe devant la villa, des témoignages troublants affluent. Certains, rien qu'en priant la dame, auraient guéri de problèmes divers tels le psoriasis, l'urticaire, les ballonnements et les flatulences. Des cannes, des marchettes et des béquilles s'empilent chaque jour devant la grille de la maison, à croire que le moindre Siennois avait besoin d'aide pour marcher avant l'arrivée de cette Canadienne.

Les autorités religieuses se refusent pour l'instant à tout commentaire. Nathalie Duguay a promis de passer à nos bureaux en fin de journée afin de nous livrer une entrevue exclusive. Tous les détails dans l'édition de demain.

Nathalie plie le journal et le range dans la pochette fixée au siège qui lui fait face. Même si elle n'en a pas déchiffré toutes les phrases, elle a suffisamment compris l'article de *La Sentinella* pour savoir qu'ils l'attendent avec impatience. Elle se trouve d'ailleurs très drôle de leur avoir promis une entrevue alors qu'elle est déjà en route vers Montréal; c'est le moyen le plus efficace qu'elle a trouvé pour que les médias cessent de harceler les Cornetto en appelant à la villa à tout moment dans l'espoir de lui parler. Elle considère qu'elle devait bien ça à Flora et à Giovanni, après tous les petits dérangements qu'elle leur a causés.

Les réacteurs grondent. Très vite, l'avion prend de la vitesse et s'arrache de la piste de décollage. Nathalie observe la mer par le hublot pendant que l'avion tourne, penché de son côté. Malgré ses craintes, elle entend bien s'abstenir de courir dans l'allée en hurlant. Jusqu'ici, tout va bien.

Tout de même, elle espère qu'ils ne tarderont pas à distribuer le gin tonic.

+++

Giovanni et Luis s'offrent une pause dans le jardin de la villa Cornetto, relativement épargné par les pillards, à part quelques pots en terre cuite renversés et des plantes piétinées qui devraient s'en remettre. Une équipe de nettoyage s'affaire à l'intérieur afin de rendre les lieux habitables le plus tôt possible. Giovanni décapsule deux Moretti et en offre une à son ami.

— Merci d'être venu nous aider, Luis. C'est dingue, non? Tout ça à cause d'une pseudo guérisseuse.

Le mot «pseudo» lui a échappé. Ils se regardent en silence. Giovanni jette un coup d'œil en direction de la villa, pour s'assurer que personne d'autre que Luis ne va entendre ce qu'il va dire.

— J'en avais marre qu'on me demande sans cesse pourquoi j'étais pas encore marié et quand est-ce que j'allais faire des enfants. J'en avais marre d'être l'homme à tout faire de ma sœur et de passer mes journées à faire les courses ou à nettoyer les chambres. J'en avais marre de tout. Je voulais qu'on me foute la paix. Alors je me suis jeté dans l'escalier, comme un con, je me suis laissé glisser jusqu'en bas en gueulant et j'ai fait croire à tout le monde que j'étais paralysé. Et j'ai eu ce que je voulais. Tout le monde a cessé d'attendre après moi pour que je marie leur cousine ou que je déménage leur piano ou que je porte le sort du monde sur mes épaules.

— Mais, un jour, t'as fini par trouver ça moins amusant…

— Voilà. Et je savais pas comment faire pour « guérir » sans attirer les soupçons. Je regrette un peu d'avoir embarqué cette pauvre touriste dans l'affaire, mais disons qu'elle est tombée à la bonne place au bon moment. Et elle semble avoir guéri pas mal de monde, pas vrai ?

Luis prend le temps de s'allumer une cigarette avant de lui raconter son histoire.

— Ça a débuté par un choc nerveux. Je croyais vraiment que mes jambes étaient foutues. Et puis, Gabriela et moi, on a décidé de revenir en ville, c'était plus pratique pour me déplacer. Ça faisait bien mon affaire parce que la campagne, ça m'emmerde. Mais Gabriela a toujours été malheureuse en ville. Je savais plus comment m'en sortir et je dois dire que j'aurais jamais fait une chose pareille si tu l'avais pas fait avant moi. J'ai proposé à ma femme de retourner à la campagne. Je crois que ça l'a rendue encore plus heureuse que de me voir marcher.

— Si je comprends bien, t'as pas cru un instant à mon histoire de guérison miraculeuse.

— Cornetto, tout ce qui sort de ta bouche, c'est de la daube.

Les deux rient et lèvent leur bière. Ils portent un toast à ces secrets qui le resteront à jamais, à ces miracles qui n'arrivent que lorsqu'on le veut bien.

+++

Vince Vaughn, à l'écran, dans une de ces comédies hollywoodiennes faites en série, lève son verre et réclame un instant d'attention. Ce sont les dernières minutes du film, alors le personnage principal se doit de dire quelque chose d'inspirant, pour que le public puisse lui pardonner d'avoir subi quatre-vingts minutes de cabotinage.

Nathalie considère que si Vince peut le faire, elle peut le faire aussi. Il faut dire qu'elle en est à son quatrième gin tonic. Elle se lève d'un geste solennel, avec le désir brûlant de partager ses réflexions avec l'ensemble des passagers de la classe économique.

— Bonjour à tous ! Je m'appelle Nathalie Duguay, je suis athée et je vais le rester ! Et Dieu va se débrouiller sans moi ! J'ai pas envie qu'on m'installe sur un trône à l'oratoire Saint-Joseph pour que je guérisse des malades. Ils ont rien qu'à prier le très saint frère André comme ils l'ont toujours fait. Et si Dieu est pas content, qu'il se trouve un autre prophète et puis c'est tout !

La plupart des gens ont des écouteurs aux oreilles et regardent le film avec attention. Les autres l'observent un instant et retournent à leur livre ou à la contemplation de leurs genoux.

Les agents de bord font un conciliabule rapide. Fini l'alcool pour la dame, ça oui, mais il ne semble pas nécessaire pour l'instant de la maîtriser de force. Elle s'est assise et a repris l'écoute du film en grignotant ses biscuits salés offerts gracieusement. Qu'on la surveille du coin de l'œil et, au premier geste louche, hop, au tapis.

Si Dieu le souhaitait, Il pourrait faire plonger au fond de l'océan l'avion dans lequel se trouve cette ingrate. Mais ce n'est pas ce qu'Il a planifié; Nathalie a encore beaucoup de vies à transformer avant qu'Il la rappelle à Lui. Qu'elle le veuille ou non.

+++

Sabrina rejoint son mari sur la terrasse. Il délaisse son journal pour mieux l'admirer. Elle s'avance vers lui en le regardant dans les yeux, vêtue seulement d'un bikini orange, deux verres à la main et un pichet de thé glacé rempli de glaçons et de tranches de citron. Il en frissonne de plaisir. L'amour de sa femme, le plus beau des miracles. Le corps de sa femme, un autre miracle.

— Tu te souviens, Mario, ce que je t'ai raconté, comment j'ai perdu la vue?

— Comment je pourrais oublier une horreur pareille? Ton père qui te battait quand t'étais jeune. Un coup à la tête, ta chute sur le béton. Saleté de vieux porc d'enculé.

— Oui. Bon. C'est pas tout à fait ça. Je suis « devenue » aveugle pour qu'il arrête de me battre. Et ça a marché. Mais j'avais pas prévu sa dépression. Et quand il s'est jeté du haut du campanile de la *Piazza del Campo*, il était trop tard; avouer que j'étais pas aveugle, ça revenait à dire que je l'avais tué de mes propres mains. Je pouvais pas. J'ai donc continué à faire semblant, sans savoir comment m'en sortir.

Elle lui verse un grand verre de thé et le lui tend, avec un regard dur et le sourire crispé.

— Évidemment, j'aimerais qu'on cache la vérité à ma mère.

Mario est étourdi rien qu'à penser à tout ce pan de vie qu'il devra réinterpréter dans sa tête, depuis sa rencontre avec Sabrina, en tenant compte de cette information nouvelle. Il se demande combien de temps encore l'imposture aurait duré si cette Canadienne n'était pas débarquée à Sienne.

— Je tiens aussi à te dire que je t'aime, malgré toutes ces choses que je t'ai vu faire.

Il la regarde plonger dans la piscine sans trouver quoi répondre. On ne sait rien des gens qu'on aime.

+++

Sur la *Piazza del Campo*, Ugo flâne au milieu des passants. Il est là depuis une heure déjà mais n'a encore rien dérobé. Le plaisir qu'il prenait à voler venait surtout de l'équipe de choc qu'il formait avec Elio et Vittore et, sans eux, tout lui semble moins excitant. Il a bon espoir que leur nouvelle passion pour les saints Évangiles soit éphémère mais, en attendant, il s'ennuie. Il ramasse son sac et retourne à la maison.

+++

Salvo Pio se dit qu'au moins, il aura essayé. Il a tenté de faire de Sienne une ville sainte, mais ça n'a pas marché. L'impression d'échouer sans cesse mine peu à peu son enthousiasme et il se demande combien de temps encore il aura l'énergie de se battre pour l'Église catholique. Il se sent vieux et fatigué. Usé. Dépassé.

Aujourd'hui, il prend du temps pour lui. Il fait défiler sur son écran d'ordinateur les images qu'il a transférées de son appareil photo, se crache dans la paume et se branle en admirant le cul formidable de Laura Baggio.

Et que Dieu se débrouille sans son aide.

+++

Dans le cabanon derrière la maison de ses parents, Gianluca retient son souffle et laisse couler sur sa main gauche quelques gouttes de phénol dilué dans de l'eau. L'acide le brûle et il passe près de s'évanouir, mais il tient bon. Il asperge la plaie ouverte de l'eau de Cologne bon marché de son père, pour « dégager une odeur de sainteté », comme il a appris à le faire au cours de ses lectures sur les charlatans religieux des siècles passés. Son stigmate est plutôt convaincant. Il boit une grande gorgée de vodka et espère que la douleur diminuera rapidement, qu'il puisse répéter l'opération sur sa main droite.

Cette touriste enfin partie, il a Sienne rien que pour lui. Et Dieu a grandement besoin de son aide. Il le sait. Il le sent. Il entend son appel.

+++

Sur la *Piazza del Campo*, les touristes badaudent au soleil, en cherchant le meilleur angle pour photographier la

Torre del mangia. À la villa Cornetto, le crucifix a retrouvé sa place, chambre sept, sur le mur face au lit. Et dans la chapelle au sous-sol de l'hôpital Santa Maria della Scala, le Christ, sur la croix, attend qu'un visiteur ait les qualités requises avant de se manifester à nouveau. Humble, calme, posé, quelqu'un de généreux qui saura propager la parole divine. Ça pourrait prendre du temps, mais Dieu est patient.

C'est une autre journée splendide à Sienne.

+++

À l'aéroport Pierre-Elliott-Trudeau, Élise attend l'arrivée de Nathalie. L'envie lui a pris de lui faire une surprise, comme ça, spontanément. Cet appel impromptu venu d'Italie était l'impulsion qu'il lui fallait pour reprendre contact avec sa sœur et, pourquoi pas, lui présenter officiellement Joëlle, sa blonde, plutôt que de la faire passer encore et toujours pour une simple colocataire. Et puis il lui faut admettre qu'elle est impatiente d'avoir les détails de cette étrange histoire de blessures aux mains et de photos dans les journaux étrangers.

Elle s'explique mal ce qu'ils ont, autour d'elle, à s'exciter en brandissant des affiches célébrant le retour de « Santa Natalia ». Elle n'a aucune idée de qui ça peut être, mais il semble que toute la communauté italienne de Montréal se soit déplacée pour l'accueillir. Les gens, tout de même. Prêts à suivre n'importe quel gourou pour éviter de se sentir seuls face au monde. Elle espère que cette foule étrangement dense ne l'empêchera pas de repérer sa sœur ; ce serait bête de la rater alors qu'elle a fait tout ce chemin pour la voir.

Ça y est. La voilà qui arrive.

C'est un livre sur l'amitié, alors merci aux amis.

Et, pour l'inspiration, merci à ces gens qui ne me connaissent pas: Milo Manara, Rita Pavone, Haruki Murakami, Pietro De Paoli et Jean-Philippe Toussaint.

Amen.